TU N'EN CROIRAS PAS TES YEUX !

TU N'EN CROIRAS PAS TES YEUX !

Texte : Nancy Crystal et Milan Tytla

Illustrations : Susan Eldridge

Traduit de l'anglais par Martine Perriau

Données de catalogage avant publication (Canada)

Crystal, Nancy

Tu n'en croiras pas tes yeux!

Traduction de: You won't believe your eyes.
Pour les jeunes de 8 à 12 ans.

ISBN 2-7625-8217-2

1. Oeil - Ouvrages pour la jeunesse. 2. Vision - Ouvrages pour la jeunesse.
3. Jeux scientifiques - Ouvrages pour la jeunesse.
I. Tytla, Milan. II. Titre.

QP475.7.C7814 1996   j612.8'4   C95-941565-3

You Won't Believe your Eyes!
Texte © Milan Tytla et Nancy Crystal
Illustrations © Susan Eldridge
Publié par Annick Press Ltd.

Version française
© Les éditions Héritage inc. 1996
Tous droits réservés

Directeur de collection : Martin Paquet

Dépôts légaux : 1er trimestre 1996
Bibliothèque nationale du Québec
Bibliothèque nationale du Canada

ISBN : 2-7625-8217-2
Imprimé au Canada

LES ÉDITIONS HÉRITAGE INC.
300, rue Arran, Saint-Lambert (Québec) J4R 1K5
(514) 875-0327

À tous les enfants, y compris Jocelyn, Sabrina et Krysten.
M. T.

À ma famille et à mes amis, qui ont su être présents
et qui ont cru en ce livre.
N. C.

Milan Tytla a obtenu son
doctorat en psychologie
expérimentale, avec spécia-
lisation en vision, en 1982.
La vision des enfants, et
surtout la façon dont elle
se développe depuis l'état de
cécité du nourrisson jusqu'à
la vision totale du jeune
adulte, constitue son prin-
cipal sujet d'intérêt.

Milan a été membre du
personnel scientifique au
service d'ophtalmologie de
l'hôpital pour enfants et de
l'hôpital général de Toronto.
Il s'intéresse surtout aux
capacités visuelles des enfants
et des adultes qui présentent
des troubles oculaires et céré-
braux. Milan donne aussi des
cours de perception, à l'université de Toronto.

Depuis son plus jeune âge,
il a été intrigué par les mer-
veilles et les mystères du
fonctionnement de la vision.

Nancy Crystal est
enseignante, éditrice, auteure
de livres pour enfants,
scénariste et mère.

Il y a plusieurs années,
elle s'inscrivait à l'université
de Toronto pour y étudier
la psychologie. Un cours sur
la perception la fascinait
particulièrement par son
caractère expérimental.
Cependant, Nancy n'était
pas sûre d'avoir, un jour,
l'occasion d'utiliser ses
nouvelles connaissances.

Quelque temps plus tard,
soudainement inspirée, elle
entrait en contact avec son
ancien professeur. Au cours
de l'année suivante, ils
remodelaient ensemble le
cours sur la perception et
le transformaient en un livre
pour enfants rempli d'expériences, de démonstrations
et d'activités.

Table des matières

Ce livre porte sur la vision : sur tes yeux et sur la façon dont ils fonctionnent en liaison avec ton cerveau. Il est divisé en sept chapitres remplis d'expériences, de choses à faire et à fabriquer. Si tu veux tout savoir sur la vision, tu peux le lire de la première à la dernière page. Si tu n'es intrigué que par certains aspects de la vision, consulte la table des matières pour y trouver le chapitre qui t'intéresse. Amuse-toi bien !

Tu n'en croiras pas pas tes yeux!

L'œil ressemble à un appareil photo, mais la vision, c'est beaucoup plus qu'une simple image. As-tu, par exemple, remarqué une erreur dans ce titre ? Maintenant, observe ceci :

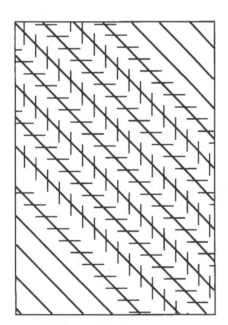

Parmi les longues lignes, lesquelles sont parallèles ? (Toutes !)

Jeune femme ou vieille sorcière ? (Un indice : Le nez de la sorcière est le menton de la jeune femme.)

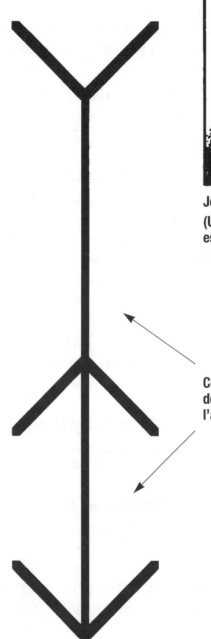

Ces deux lignes sont exactement de la même longueur ! (Vérifie à l'aide d'une règle !)

Non, il n'y a pas de triangle ici !
(Voir la page 64.)

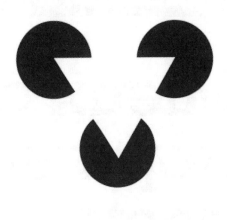

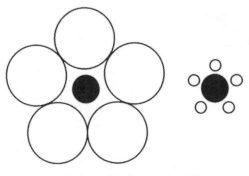

Ces points noirs ont-ils la même dimension ?
(Oui !)

C'est pourtant vrai... Les carrés gris, au centre, sont tous identiques !

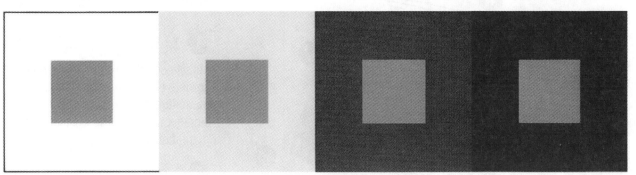

En plus d'être amusants, ces types d'illusions indiquent aux scientifiques de quelle manière fonctionne notre vision. Alors, poursuis ta lecture, tente les expériences et constate par toi-même. Tu seras surpris — peut-être même stupéfait. En fait... tu n'en croiras pas tes yeux !

Il est parfois normal de voir des taches. (Regarde les taches fantômes à l'intersection des lignes. Voir la page 65.)

Mieux qu'un appareil photo

Qu'est-ce qui est rond, rempli d'une substance liquide et qui fonctionne comme un appareil photo ? Ton œil, bien sûr ! Mais personne n'a encore inventé d'appareil photo aussi précis que l'œil. Car aucun n'est relié à un cerveau humain.

Tes yeux ont pour tâche de laisser entrer la lumière et d'envoyer des messages à ton cerveau. Ton cerveau décode les signaux que tes yeux lui ont transmis. En réalité, c'est ton cerveau qui voit et non tes yeux.

Si tu pouvais regarder à l'intérieur de ton globe oculaire, voici ce que tu y verrais :

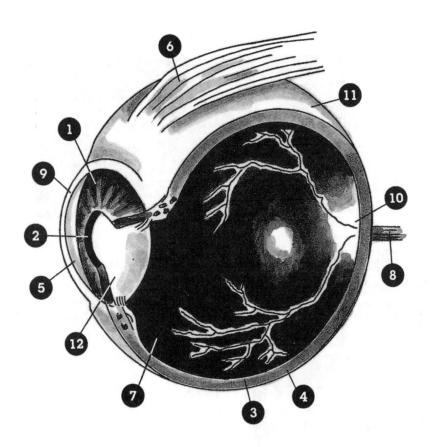

❶ L'iris

Muscle circulaire situé derrière ta cornée. Lorsque tu dis : « Tu as de magnifiques yeux bleus », cela signifie, en fait : « Tes iris bleus sont magnifiques ».

❷ La pupille

Trou noir au centre de ton iris. La pupille s'élargit ou rétrécit pour contrôler la quantité de lumière qui entre dans ton œil. Va dans une pièce sombre avec un ami et observe ses pupilles. Que se produit-il lorsque tu allumes la lumière ?

❸ La rétine

Membrane qui tapisse le fond de ton œil, aussi mince qu'un timbre-poste, plus fragile qu'un essuie-tout humide, 128 millions de cellules nerveuses spéciales y transforment la lumière en impulsions électriques que ton cerveau comprend.

④ La choroïde

Membrane située entre la sclérotique et la rétine. Chez les créatures diurnes, comme les êtres humains, sa couleur noire lui permet d'absorber les rayons lumineux et les empêche d'être réfléchis. Chez les créatures nocturnes, sa couleur argentée lui permet de réfléchir le plus de lumière possible. C'est pourquoi les yeux des chats luisent dans le noir.

⑤ L'humeur aqueuse

Cela signifie «substance liquide à base d'eau». L'humeur aqueuse est située derrière ta cornée, elle la baigne et lui apporte l'oxygène et les nutriments dont elle a besoin.

⑥ Les muscles oculaires

Chaque œil est doté de trois paires de muscles. Les six muscles travaillent ensemble pour faire tourner tes yeux et pour les diriger dans une même direction.

⑦ Le corps vitré

Cela signifie «substance liquide qui ressemble à du verre». Ton globe oculaire est rempli de cette substance gélatineuse transparente. Il est comparable à un ballon plein d'eau.

⑧ Le nerf optique

Comparable à un câble, il contient plus d'un million de nerfs et transporte les messages de ton œil à ton cerveau.

⑨ La cornée

«Fenêtre» transparente presque entièrement composée d'eau. Elle focalise la lumière qui entre dans ton œil. Ferme tes yeux, touche tes paupières et fais rouler tes yeux. Cette petite bosse que tu sens est ta cornée.

⑩ Le disque optique

Endroit, dans ton œil, où entrent et sortent tes vaisseaux sanguins, et d'où partent un million de nerfs qui sont reliés à ton cerveau. Cette zone est si encombrée qu'il n'y a plus de place pour les cellules qui captent la lumière. Ce point de ton œil est totalement aveugle.

⑪ La sclérotique

Partie blanche de ton œil. Cette membrane robuste recouvre

entièrement ton globe oculaire, sauf à l'avant, où elle devient ta cornée.

⑫ Le cristallin

Lentille souple et transparente située juste à l'arrière de ton iris. Le cristallin modifie sa forme de sorte que les objets se trouvant à des distances différentes puissent être mis au point sur ta rétine.

Si tu dis à ton ami : « J'ai vu ton chien devant ma maison », tu lui dis, en réalité : « La lumière réfléchie par le chien est entrée par ma pupille et est parvenue à ma rétine ». L'image se produit parce que ta cornée incurve les rayons lumineux, et ton cristallin, qui travaille avec ta cornée, modifie sa forme pour que l'image du chien arrive au bon endroit. Si ta vision est normale, tes yeux n'ont aucun problème à faire la mise au point de l'image du chien sur ta rétine.

ET SI...■■■

T'es-tu déjà servi d'une loupe et du soleil pour graver ton nom sur un morceau de bois ? Si oui, tu as utilisé la distance focale de la lentille pour créer un soleil miniature, capable de brûler la surface du bois. Tes yeux sont aussi munis de lentilles. Peux-tu imaginer ce qui arriverait si tu mettais ta rétine à la place du morceau de bois ? Tu comprends maintenant pourquoi tu ne dois JAMAIS fixer le soleil.

La distance entre ton cristallin et l'image du chien sur ta rétine est appelée la « distance focale ». La distance focale d'un œil normal est d'environ 17 mm, ce qui correspond aussi à la distance entre le cristallin et la rétine. Cette illustration te permet de mieux comprendre la façon dont cela fonctionne.

Mais qu'arrive-t-il si la distance focale est trop longue ou trop courte ? Lorsque la distance focale de ton cristallin ne correspond pas exactement à la longueur de ton globe oculaire, ta vision ne peut pas être

mais pas de près) ? Un indice : l'œil presbyte n'incline pas assez les rayons lumineux.

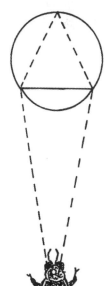

normal

presbyte

parfaite. Tu as alors besoin de lunettes, comme la moitié des gens sur la Terre. Les lunettes sont des lentilles qui donnent aux rayons lumineux l'angle voulu, lorsque tes cornées ne peuvent pas le faire correctement. Si tu es myope (c'est-à-dire que tu vois bien de près mais pas de loin), tes cornées inclinent trop les rayons lumineux. Tes lunettes modifient les rayons de sorte qu'ils arrivent sur ta rétine. Peux-tu deviner ce que font les lunettes d'une personne presbyte (qui voit bien de loin

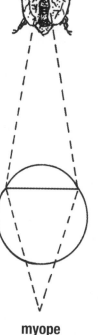

myope

À TOI DE JOUER !

Des lentilles différentes ont des distances focales différentes. En général, les lentilles épaisses ont une distance focale courte, tandis que les lentilles minces en ont une longue. Mesure la distance focale d'une loupe.

Il te **faut** :

une loupe
une règle

Comment **faire** ?

1 Choisis un mur situé en face d'une fenêtre. (Plus la pièce est sombre, mieux c'est.)

2 Tiens ta loupe devant le mur.

3 Approche ou éloigne lentement la loupe du mur jusqu'à ce que le paysage extérieur soit mis au point sur le mur. Assure-toi que le paysage extérieur est éloigné de plus de six mètres de la fenêtre.

4 Mesure maintenant la distance entre ta loupe et le mur. Cette distance est la distance focale de ta loupe.

5 Répète l'expérience avec toutes les autres lentilles que tu peux trouver.

FABRIQUE UN GLOBE OCULAIRE

Étonne tes amis avec cet énorme globe oculaire capable de former une image. Ce bricolage nécessite un peu de temps, mais tu t'amuseras à le faire et tu auras grand plaisir à découvrir comment il fonctionne.

Il te **faut :**

une loupe (enlève son
    manche et son cadre)
une règle
un ballon rond
du papier mâché (des bandes
    de papier journal enduites
    d'une colle composée d'eau
    et de farine)
du papier ciré
de la peinture (noire, blanche
    et rouge)
du ruban-cache
un couteau X-Acto (attention :
    manipuler avec précaution)
une feuille de papier de
    bricolage ou de papier
    cartonné (la lumière ne doit
    pas passer à travers)
du papier de verre

Comment **faire ?**

1 *Cette étape est la plus importante.* La longueur de ton modèle de globe oculaire dépend de la distance focale de la lentille de ta loupe. Tu dois donc commencer par mesurer sa distance focale. (Si tu ne sais plus comment faire, relis la page 16.) Gonfle ton ballon de sorte qu'il soit *EXACTEMENT* de cette longueur. Pour y arriver plus facilement, découpe un cercle dans un carton. Fais correspondre le diamètre de ton cercle à la distance focale de ta loupe. Gonfle ensuite ton ballon jusqu'à ce qu'il remplisse entièrement l'intérieur du cercle.

2 Recouvre ton ballon d'une épaisse couche de papier mâché et laisse-la sécher toute la nuit.

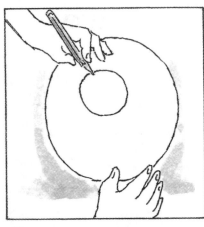

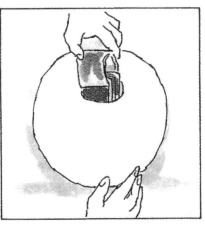

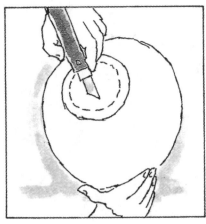

3 Reproduis le contour de ta lentille sur une extrémité du ballon et demande à un adulte d'y découper un trou légèrement plus petit que ce contour.

4 Pour faire la choroïde (voir page 12), verse un peu de peinture noire dans le globe oculaire. Fais tournoyer le globe de sorte que son intérieur soit couvert de peinture. Verse le surplus de peinture et laisse sécher le globe.

5 Reproduis le contour de ta lentille sur l'extrémité opposée du globe et découpes-y un trou légèrement plus petit que ce contour.

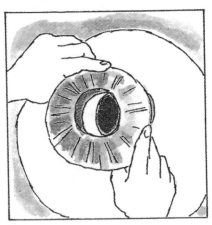

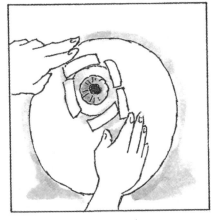

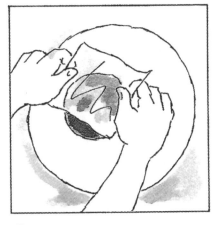

6 Pour faire l'iris, découpe dans du carton un cercle légèrement plus grand que la lentille. Colorie-le en bleu, en vert ou en une autre couleur. Pour faire la pupille, découpe, au centre de l'iris, un cercle dont le diamètre est d'environ la moitié de celui de la lentille. Colle l'iris sur le trou pratiqué dans le globe.

7 Maintenant, colle la lentille sur l'iris. Tu viens de faire la cornée de l'œil.

8 Colle très soigneusement un morceau de papier ciré sur le trou opposé du globe oculaire. Assure-toi que le papier est bien à plat. Ce papier constitue la rétine de ton œil.

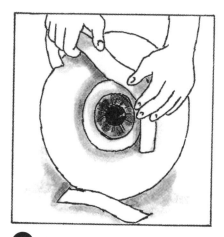

9 Couvre le globe oculaire d'une nouvelle couche de papier mâché. Recouvre légèrement les bords de la cornée et de la rétine pour les maintenir bien en place.

10 Une fois le globe parfaitement sec, lisse-le à l'aide de papier de verre, puis peins-en l'extérieur en blanc, en évitant de couvrir la cornée et la rétine. Tu peux aussi y ajouter quelques petits vaisseaux sanguins bien rouges, histoire de t'amuser! Laisse sécher le globe.

Tourne maintenant cet œil gigantesque vers une fenêtre bien claire. Tu devrais voir une image renversée sur la rétine. Tu peux explorer le monde d'un nouvel œil!

Grâce à un simple coup d'œil sur tes pupilles, tes amis peuvent deviner si tu t'ennuies ou si tu débordes d'enthousiasme. Mais oui! Lorsque tu t'ennuies, tes pupilles sont relativement petites. Si tu es excité, elles s'élargissent. Les photographes connaissent ce phénomène depuis longtemps. Les vedettes de cinéma font souvent retoucher leurs photographies pour que leurs pupilles paraissent plus grandes. Elles se croient ainsi plus attirantes. Au Moyen-Âge, les femmes utilisaient des gouttes à base de belladone (de l'italien *bella donna*, qui signifie «belle femme») afin de dilater leurs pupilles pour la même raison.

Le mythe démystifié

Tu sais sans doute que les insectes ont des yeux composés, formés de centaines de minuscules lentilles. La plupart des gens croient que les insectes voient de cette façon :

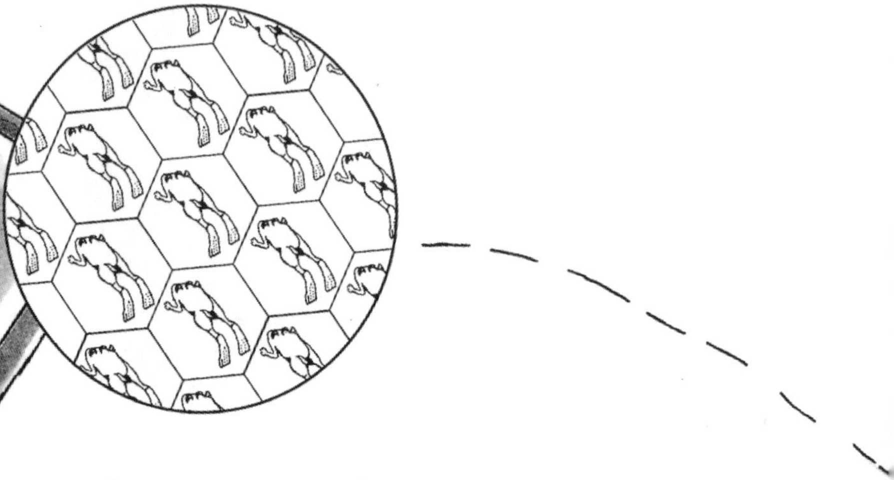

En fait, personne ne sait comment voient les insectes, mais nous pouvons t'assurer que ce n'est pas de cette manière. Un insecte devrait pour cela être doté d'un œil complet derrière chacune de ses lentilles. Or il n'y a, derrière chaque lentille, qu'un seul et unique récepteur qui capte et transmet au cerveau le degré de luminosité. Un seul récepteur ne peut *absolument pas* envoyer une image.

Les yeux des insectes captent parfaitement tous les mouvements qui les entourent. C'est pourquoi il est si difficile de s'approcher par surprise d'une mouche et de l'écraser.

Les yeux des grenouilles sont pourvus de détecteurs d'insectes. Lorsqu'un insecte passe en volant devant elle, la grenouille sait exactement où il se trouve. Sa langue surgit instantanément et l'attrape. Pour que ces détecteurs fonctionnent, les insectes doivent se déplacer. En d'autres termes, les grenouilles sont probablement incapables de voir les mouches qui se tiennent immobiles. Une grenouille mourrait de faim dans une pièce remplie de délicieuses mouches mortes !

Fait encore plus étrange, les grenouilles n'utilisent pas leurs yeux que pour voir. Observe une grenouille qui vient d'attraper une mouche. Elle ne cligne pas seulement des yeux parce qu'elle est en train d'avaler la mouche. Le mouvement de ses globes oculaires l'aide à pousser l'insecte jusque dans sa gorge.

SE FAIRE MANGER DES YEUX !

Lorsque tu les ouvres le matin, tes yeux ont trois tâches importantes à accomplir : ils captent les rayons lumineux ; ils forment une image de ce qui se trouve devant toi ; ils envoient ces messages à ton cerveau.

Tout objet que tu regardes — ta chaise, par exemple — réfléchit des rayons lumineux qui entrent dans tes yeux par

Regarde ça !

tes pupilles. La lumière dévie d'abord en traversant ta cornée, puis ton cristallin. Résultat : les rayons réfléchis par le haut de ta chaise s'impriment sur la partie inférieure de ta rétine ; les rayons réfléchis par le bas de ta chaise s'impriment sur la partie supérieure de ta rétine. Cela signifie que la chaise est inversée sur ta rétine. C'est ton cerveau qui remet l'image à l'endroit.

Ta rétine est composée de deux types de cellules : 120 millions de bâtonnets et 8 millions de cônes. Lorsque les rayons lumineux atteignent la rétine, les bâtonnets et les cônes les transforment en impulsions électriques ; puis celles-ci voyagent le long de ton nerf optique jusqu'à ton cerveau qui les décode pour te dire ce que tu vois. Au même moment, tu peux décider de regarder ta chaise ou toute autre chose en faisant bouger tes yeux à l'aide de tes muscles oculaires.

Ceci est la photo d'une rétine. Si tu pouvais regarder le fond de ton œil, voici ce que tu y verrais. Ta rétine est comparable à un filet composé de 128 millions de cellules nerveuses spéciales. Tu imagines : 128 millions de cellules réunies dans un endroit pas plus gros qu'un timbre-poste !

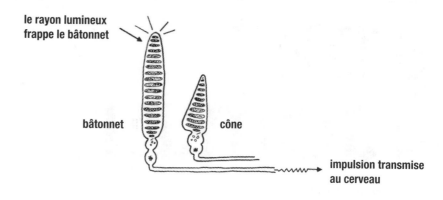

le rayon lumineux frappe le bâtonnet

bâtonnet

cône

impulsion transmise au cerveau

La tache aveugle

Quel enchevêtrement ! Les vaisseaux sanguins et les nerfs y sont si nombreux qu'il n'y a plus de place pour le moindre cône ou bâtonnet. C'est pourquoi ce point de ton œil est totalement aveugle.

La périphérie

Le reste de la rétine se nomme «périphérie». Quand tu regardes droit devant, elle te permet de percevoir sur les côtés de ton champ de vision des mouvements ou des choses assez volumineuses. Elle t'indique *où* se situent ces choses. La périphérie est principalement composée de bâtonnets.

La fovéa

C'est à ce minuscule endroit de ta rétine que ta vision est la plus aiguë. Tu utilises ta fovéa lorsque tu poses les yeux sur quelque chose de précis. Elle t'indique *ce que sont* les choses. Le centre de ta fovéa est uniquement composé de cônes.

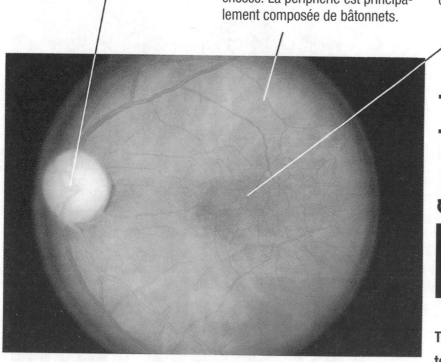

Savais-tu que...

Ta rétine est l'unique endroit de ton corps où le médecin peut voir tes vaisseaux sanguins sans procéder à une opération !

À TOI DE JOUER !

La fovéa et la périphérie voient de façon très différente. Tu le constateras en faisant ces expériences avec un ami.

Comment faire ?

1 Demande à ton ami de s'asseoir sur une chaise et de regarder quelque chose droit devant lui. Interdis-lui de jeter un coup d'œil sur le côté !

2 Place ta main derrière sa tête. Tends quelques doigts et amène lentement ta main dans son champ de vision.

3 Ton ami doit dire « Arrête ! » **DÈS** qu'il voit ta main. Demande-lui combien de doigts sont tendus. *(La réponse risque fort d'être fausse.)*

4 Continue de faire avancer tes doigts jusqu'à ce que ton ami puisse les compter.

5 Maintenant, inversez les rôles, et vois si tu peux faire mieux.

Qu'as-tu découvert ? Ton acuité visuelle s'améliore à mesure que la main pénètre le champ de vision de la fovéa. Ta périphérie ne peut que distinguer la main.

Il existe une autre différence importante entre la fovéa et la périphérie. Pour l'expérience suivante, il te faut plusieurs objets de couleurs variées.

Comment **faire** ?

1 Demande à ton ami de s'asseoir et de regarder droit devant lui.

2 Tiens un objet coloré derrière la tête de ton ami, puis fais-le avancer lentement vers son champ de vision.

3 **DÈS** que ton ami le voit, arrête et demande-lui de quelle couleur est l'objet.

4 Continue de faire avancer l'objet jusqu'à ce que ton ami distingue correctement sa couleur.

5 Essaie de nouveau en utilisant des objets de couleurs différentes.

Comme tu as pu le constater, les cônes situés autour de la fovéa distinguent les couleurs ; les bâtonnets en sont incapables. La périphérie ne perçoit pas les couleurs. Cependant... ta périphérie détecte parfaitement certaines choses. Tente toi-même cette expérience.

Comment **faire** ?

1 Assieds-toi et regarde droit devant toi.

2 Déplace une main sur le côté de ta tête et trouve le point exact où elle disparaît de ton champ de vision.

3 Remue tes doigts.

Qu'arrive-t-il lorsque tu remues tes doigts ? Ils deviennent visibles ! C'est parce que ta périphérie détecte bien le mouvement. Tu sais maintenant pourquoi tu dois rester parfaitement immobile lorsque tu te caches. C'est exactement ce que font les lapins !

Pourquoi ta vision est-elle trouble lorsque tu ouvres les yeux sous l'eau ? (Indice : *Ça n'a rien à voir avec la pollution.*)

Posons la même question différemment. Pourquoi Jacques Cousteau porte-t-il un masque ou des lunettes de plongée pour aller sous l'eau ? (Indice : *Ce n'est pas parce que l'eau salée de la mer lui brûle les yeux.*)

Souviens-toi que ta cornée est en grande partie composée d'eau. Lorsque la lumière passe de l'air à l'eau, elle dévie et forme une image sur ta rétine. Lorsque tu ouvres tes yeux sous l'eau, la lumière passe directement de l'eau à ta cornée (qui contient aussi de l'eau). La lumière ne dévie pas suffisamment pour former une image nette sur la rétine, ce qui t'empêche de voir clairement. Ainsi, Jacques Cousteau porte un masque pour maintenir un volume d'air devant ses cornées.

T'es-tu déjà demandé...

Mais qu'en est-il des animaux, comme le cormoran ou le crocodile, qui chassaient à l'air libre et sous l'eau ?

Comment font-ils ? Ils ont un cristallin supplémentaire, plus puissant, intégré à leurs paupières. Ce cristallin fonctionne lorsqu'ils ferment les yeux sous l'eau.

À la recherche de ta tache aveugle

Que se passe-t-il dans le disque optique, ce point de ta rétine dépourvu de bâtonnets et de cônes ? Le monde qui t'entoure serait-il comparable à une photo percée de deux trous correspondant à la tache aveugle de chacun de tes yeux ? Ce serait très ennuyeux !

Tes taches aveugles ont la forme d'un œuf. La tache aveugle de ton œil droit se situe à la droite de ce que tu regardes et, tu as déjà deviné, la tache aveugle de ton œil gauche se situe à la gauche de ce que tu regardes. Donc, actuellement, pourquoi ne vois-tu pas deux énormes trous en forme d'œuf à droite et à gauche ? Lorsque tes deux yeux sont ouverts, la réponse est simple. L'un de tes yeux voit ce qui se trouve au niveau de la tache aveugle de l'autre œil. Mais, si tu fermes un œil, il n'y a toujours pas de trou ! Voyons un peu comment cela se passe.

Trouve d'abord ta tache aveugle. Ferme ton œil gauche et fixe uniquement le X avec ton œil droit. Commence en plaçant la page à 30 cm de ton visage, puis approche-la lentement jusqu'à ce que le point disparaisse. L'image du point se situe alors exactement sur ta tache

aveugle. Maintenant, tiens le livre à l'envers et essaie de trouver la tache aveugle de ton œil gauche. Ferme ton œil droit et fixe uniquement le X avec ton œil gauche. Déplace lentement le livre jusqu'à ce que le point disparaisse.

As-tu remarqué que le point ne tombe pas dans un trou noir mais qu'il disparaît et laisse la page blanche ? Que se passe-t-il, selon toi ? Trouve ta tache aveugle, de la

même façon, à l'aide du X et du point au bas de la page. Qu'est-il arrivé ? La ligne noire a-t-elle traversé ta tache aveugle ? En d'autres termes, as-tu vu quelque chose qui n'était pas vraiment là ? Ton cerveau doit avoir deviné ce qui se trouvait au niveau de ta tache aveugle pour combler le vide. MAIS, il ne fait pas *que deviner* ; il interprète plutôt le schéma, quel qu'il soit, qui entoure ta tache aveugle.

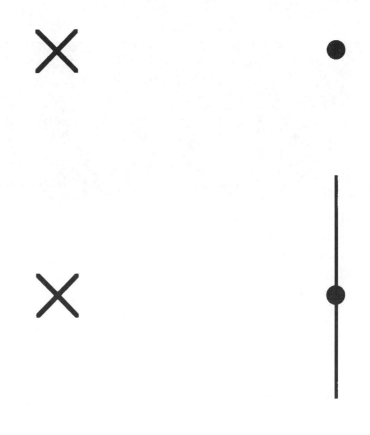

Tente l'expérience avec ces trois illustrations.

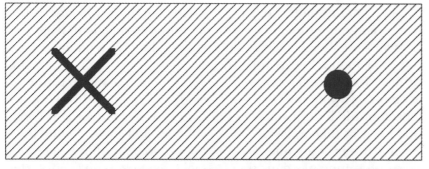

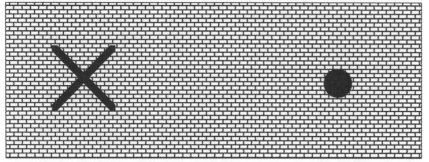

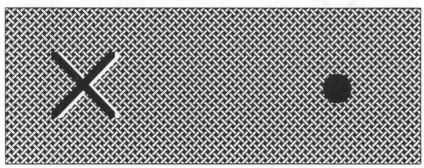

Ton cerveau s'occupe de compenser l'absence de vision de ces taches. Les choses que tu regardes ne sont donc jamais percées de deux trous noirs.

Les coqs, comme de nombreux autres oiseaux, s'endorment au coucher du soleil et ne se réveillent qu'au lever du soleil. En fait, ils n'ont pas le choix ! Leur rétine est uniquement composée de cônes, elle n'a pas le moindre bâtonnet. Or, les bâtonnets sont le siège de la vision nocturne. Après le coucher du soleil, ces oiseaux sont *aveugles*, et il serait dangereux pour eux de se déplacer dans le noir. Les coqs ont donc toutes les raisons de chanter au lever du soleil : *ils peuvent voir de nouveau !*

En un clin d'œil

Tu seras peut-être étonné d'apprendre que la cécité est un aspect normal de la vision. Tu sais déjà que tu as une tache aveugle dans chacun de tes yeux, et que tu es momentanément aveugle lorsque tu entres dans une salle de cinéma. Mais tu es aussi aveugle en d'autres occasions. Depuis le début de ce paragraphe, tu as cligné des yeux une bonne vingtaine de fois. Refais-le. Tu as été aveugle pendant environ un tiers de seconde. Si tu allumes, puis éteins la lumière de ta chambre dans un même laps de temps, tu percevras facilement ce black-out.

Pourquoi ne percevons-nous pas cette obscurité en clignant des yeux ? Dans la mesure où nous clignons des yeux environ vingt fois par minute, les black-out seraient terriblement déplaisants ! Ton système visuel semble interrompre le signal transmis par ton œil au début du clignement et faire correspondre ce que tu voyais avant avec ce que tu vois après le clignement. Ton système visuel ignore totalement ce qui se passe *pendant* le clignement.

Un type de cécité comparable se produit encore plus souvent. Tandis que tu lis cette phrase, tes yeux ne glissent pas doucement d'un mot à l'autre. En réalité, ils avancent par saccades ou sursautent. Constate-le par toi-même. Ferme un œil, pose un doigt sur sa paupière et lis. Tu le sens palpiter ?
En fait, ces mouvements oculaires sont les plus rapides de ton organisme. Mais le plus étonnant, c'est que tu fais sans arrêt ces mouvements et que tu es aveugle chaque fois. Qui plus est, tu en feras des milliards tout au long de ta vie !

À TOI DE À JOUER !

Observe les mouvements des yeux de ton ami. Installez-vous très près, l'un en face de l'autre, et demande-lui de regarder rapidement, et à plusieurs reprises, de ton œil gauche à ton œil droit. Tu vois facilement palpiter ses yeux. Place-toi maintenant devant un miroir et fais-en autant. Tu vois très bien tes yeux changer de position, mais tu ne perçois pas le mouvement lui-même. Pourquoi ? Était-il trop rapide ? Non, puisque tu percevais sans problème le mouvement des yeux de ton ami. En fait, ton système visuel rejette tout type de message avant et pendant le mouvement. Pourquoi ? Tandis que ton œil saute d'un mot à l'autre, la dernière image reste sur ta rétine pendant un moment. Mais les mouvements de tes yeux sont si rapides que ton système visuel doit se débarrasser de la dernière image pour éviter que la suivante ne la chevauche. Sans quoi, les mots se chevaucheraient après quelques mouvements oculaires et donneraient ceci :

Sans quoi, les mots se chevaucheraient après quelques mouvements oculaires et donneraient ceci :

Nous avons réellement besoin de ces fractions de seconde de cécité pour voir normalement. Aussi, pendant tes heures d'éveil, tu vois beaucoup moins que tu ne penses.

Des chiffres qui sautent aux yeux

Tu as peut-être déjà remarqué cet effet particulier. Les lettres et les chiffres brillants et lumineux affichés sur le four à micro-ondes, sur le magnétoscope ou sur le lecteur de disques compacts semblent parfois sauter ou bouger légèrement pendant un moment. Si tu n'y as jamais prêté attention, essaie de fixer ces chiffres dans le noir. Si tu n'obtiens aucun effet, croque quelque chose de dur, comme une carotte ou une biscotte. *Ils devraient littéralement bondir, maintenant !*

Il y a deux raisons à cela : (1) les chiffres clignotent en fait trop rapidement pour que tu puisses le percevoir, et (2) tes yeux bougent constamment dans leur orbite, et le fait de croquer quelque chose de dur produit une secousse encore plus forte. Tandis que tu gardes tes yeux aussi immobiles que possible, les chiffres sont sans arrêt reproduits en des points légèrement différents de ta rétine. De temps à autre, et surtout lorsque tu croques quelque chose, tes yeux sont fortement secoués, et l'image d'un chiffre se trouve décalée sur ta rétine. Ne sachant pas que ton œil a bougé, ton cerveau suppose que le chiffre a sauté.

Tu remarqueras que, pendant que tu croques, les chiffres ne bougent que de haut en bas. Comme ta mâchoire se déplace de haut en bas, elle fait bouger tes yeux dans cette même direction. Penche ta tête vers une épaule et croque de nouveau. Les chiffres bougent en suivant le déplacement de ta mâchoire, et non plus de haut en bas. Tu viens de démontrer que les chiffres ne sautent pas réellement. Tout ça se passe dans ta tête !

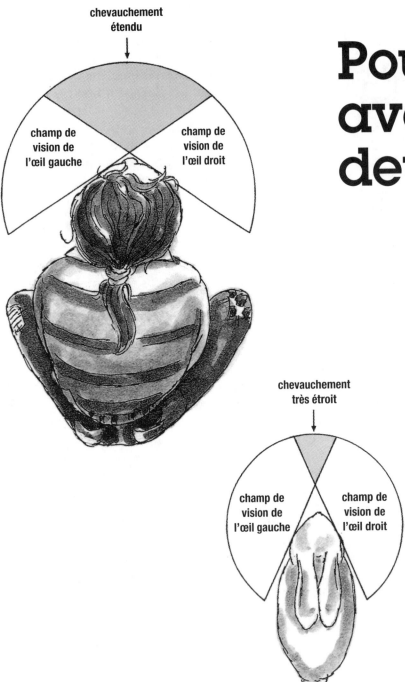

chevauchement
étendu

champ de
vision de
l'œil gauche

champ de
vision de
l'œil droit

chevauchement
très étroit

champ de
vision de
l'œil gauche

champ de
vision de
l'œil droit

Pourquoi avons-nous deux yeux ?

Peux-tu imaginer un animal doté d'un seul œil ? Probablement pas. La plupart des animaux ont un œil de chaque côté de la tête (les lapins, les souris, les castors et les chevaux, par exemple). Ces animaux sont herbivores et sont souvent chassés par des animaux carnivores. Les herbivores doivent se méfier des carnivores en tout temps. Avec un œil de chaque côté de sa tête, le lapin peut voir, en tout temps, du bout de son nez jusqu'au bout de sa queue. Il sait qu'un ennemi approche, car il voit presque tout autour de son corps sans avoir à tourner la tête.

Le chevauchement des deux champs de vision des animaux dotés de ce type de vision est très étroit.

D'autres animaux ont des yeux espacés et, lorsqu'ils regardent droit devant, ils

voient une grande partie de la même image reproduite en même temps par leurs deux yeux. Cette vision avec chevauchement des deux champs de vision, semblable à notre vision, leur permet de percevoir la profondeur d'une façon particulière.

Ces animaux ont besoin de percevoir les infimes variations de profondeur pour de nombreuses raisons. Certains chassent des herbivores bien camouflés ; d'autres, qui se balancent d'une branche à l'autre, doivent connaître l'emplacement exact de la branche suivante ; d'autres utilisent leurs mains de façon fine et précise, par exemple pour débarrasser leur fourrure des puces qui s'y trouvent ou, dans le cas des êtres humains, pour enfiler une aiguille. Toutes ces tâches nécessitent la meilleure vision en profondeur possible.

Comment la vision de ces animaux (et la nôtre) peut-elle être aussi efficace ? Chacun de nos yeux voit une grande partie de ce que l'autre œil voit. Mais chaque œil a une vue légèrement différente de l'autre. Cette différence est TRÈS importante, comme tu le découvriras bientôt. Ton cerveau enregistre ces deux vues différentes, les combine et crée une image en trois dimensions.

À TOI DE JOUER !

La distance qui sépare tes pupilles est d'environ 5 à 7 cm. Cela signifie que le champ de vision de ton œil gauche est légèrement différent de celui de ton œil droit.

Comment faire ?

1 Tiens ta main devant toi, le pouce au niveau de ton menton.

2 Ferme un œil, puis l'autre. Remarque les deux vues différentes. Ton œil gauche voit ce qui se trouve vers la gauche de ta main, et ton œil droit voit ce qui se trouve vers la droite de ta main.

3 Maintenant, ouvre les deux yeux. Tu as alors une vue unique de ta main, en profondeur. Nous appelons la perception de la profondeur avec les deux yeux la « vision stéréoscopique ».

En quoi la vision stéréoscopique est-elle si particulière ? Imagine qu'un lapin tacheté s'enfuit d'une animalerie. Essaie de le trouver. Sans camouflage, il est facile à repérer.

Mais qu'en est-il d'un lapin tacheté qui se fond entièrement dans le feuillage et dans l'ombre ? Comment pouvons-nous le voir ? Nous avons caché ce lapin dans les deux boîtes ci-contre, mais son camouflage est parfait. Aucun indice ne peut t'aider à le voir, et pourtant, il est bel et bien là !

Te souviens-tu comme, en regardant ta main, la vision de chaque œil était légèrement différente de l'autre ? Parmi ces illustrations, celle de gauche correspond à ce que ton œil gauche verrait, et celle de droite, à ce que ton œil droit verrait. Pour percevoir le lapin en profondeur, ton cerveau doit combiner les images de gauche et de droite. En ce moment, chacun de tes yeux voit les deux illustrations. Mais tu peux fabriquer un dispositif spécial, un « stéréoscope », qui montrera l'illustration de gauche uniquement à ton œil gauche, et celle de droite uniquement à ton œil droit. Lorsque tu percevras le lapin à l'aide du dispositif, il surgira du fond exactement comme si tu en avais une vue stéréoscopique. Il ressemblera un peu à ceci.

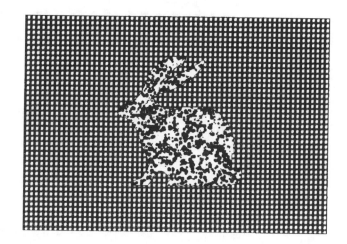

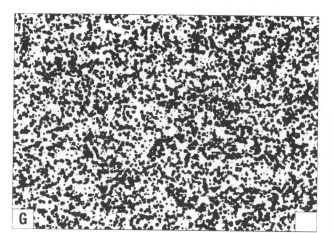

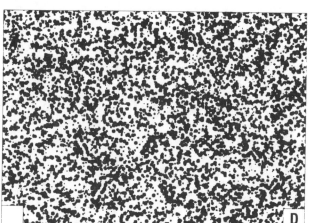

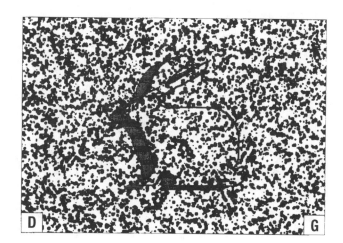

Fabrique un **stéréoscope**

Vers 1850, un scientifique britannique, Charles Wheatstone, a inventé un dispositif semblable à celui-ci. Il t'en faut un pour percevoir la profondeur dans chacune des illustrations stéréo. Tu voudras peut-être demander à un adulte de t'aider. Ce bricolage nécessite un petit réglage pour être parfait, mais le résultat final en vaut la peine !

Diagramme

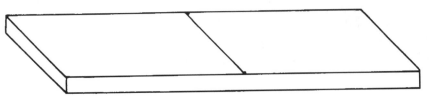

Il te **faut** :

une planche de bois d'environ 40 cm de longueur, 10 cm de largeur et 2,5 cm d'épaisseur
2 morceaux carrés de carton épais de 10 cm de côté
2 miroirs de poche rectangulaires de mêmes dimensions
un crayon, une règle
de la pâte à modeler
du ruban adhésif
2 épingles à cheveux ou 2 pinces à linge
des photocopies du diagramme et des illustrations stéréo

Comment **faire** ?

1 Trouve le milieu de la planche en la mesurant et indique-le sur chaque bord à l'aide d'un point. Trace une ligne reliant les deux points.

2 Découpe le diagramme et fais correspondre la ligne A du diagramme avec la ligne tracée sur la planche. Assure-toi que la double ligne B est située le long du bord inférieur de la

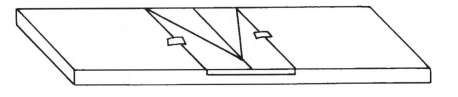

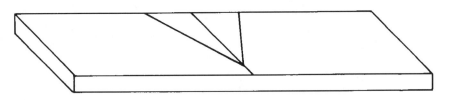

planche. Maintiens le diagramme en place à l'aide de ruban adhésif. Trace les lignes A, C et D sur la planche à l'aide d'une règle et d'un crayon. Repasse sur les lignes plusieurs fois pour bien marquer le bois.

3 Enlève le diagramme et retrace les lignes marquées sur la planche à l'aide de la règle et du crayon.

4 Place un boudin de pâte à modeler de la grosseur d'un doigt sur les lignes C et D de la planche.

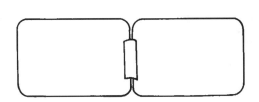

5 Dépose les miroirs bout à bout sur une table, côté face vers le bas, et colle-les soigneusement ensemble le long des côtés qui se touchent. (Ne décolle pas le ruban adhésif, car tu endommagerais les miroirs. Tu pourras le couper plus tard.)

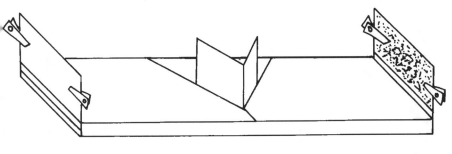

6 Replie les miroirs, le long du ruban adhésif, de sorte qu'ils forment un V (le côté miroir formant l'extérieur du V) et enfonce-les dans la pâte à modeler. Fais-les bien correspondre aux lignes C et D. Tapote-les doucement pour qu'ils reposent de façon égale sur la planche. (Il est très important de placer les miroirs exactement sur les lignes.)

7 Colle un carré de carton à chaque extrémité de la planche. Tu disposes maintenant d'un stéréoscope !

8 Découpe les illustrations stéréo et épingle-les aux cartons. (Regarde bien la lettre inscrite au coin et assure-toi de placer les diagrammes gauche (G) et droit (D) au bon endroit.)

9 Dépose ton stéréoscope dans le sens de la longueur au bord d'une table ou d'un comptoir. Colle ton nez sur la base du V et regarde dans les miroirs de telle sorte que ton œil droit ne voie que le miroir droit et que ton œil gauche ne voie que le miroir gauche. Déplace les illustrations stéréo pour que les deux se reflètent parfaitement dans les miroirs. Tu ne devrais voir qu'une seule image, et non deux. Fixe l'image et vois le lapin surgir en trois dimensions.

(À propos, si tu ne vois pas le lapin et que tes amis le voient, ne rejette surtout pas la faute sur ton stéréoscope ! Environ huit pour cent des gens sont atteints de cécité stéréoscopique. Ces personnes ne sont pas dotées de la vision en profondeur.)

10 Maintenant, histoire de t'amuser, inverse les illustrations de gauche et de droite. Tu verras apparaître un trou en forme de lapin !

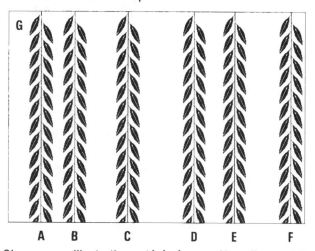
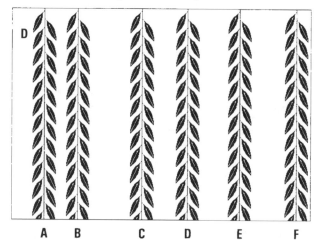

A	B	C	D	E	F

Observe ces illustrations stéréo à l'aide de ton stéréoscope !

Alors, Tarzan ! Quelle liane est la plus proche ? A, B, C, D, E ou F ?

Regarde bien. Sinon, tu risques de tomber de haut !

Savais-tu que...

Notre capacité à voir la profondeur est vraiment étonnante. Nous pouvons véritablement déterminer à un demi-cheveu près si un objet est plus proche ou plus loin que l'objet voisin ! Notre vision constitue en fait le meilleur moyen de détecter la fausse monnaie. Lorsque, sur un faux billet, quelque chose n'est pas imprimé *EXACTEMENT* au même endroit que sur un billet véritable, vois ce qui arrive lorsque tu les observes ensemble dans un stéréoscope. Le premier billet est vrai. Qu'en est-il de l'autre ? Est-il vrai ou faux ?

Les médecins utilisent le stéréoscope pour détecter une grave maladie oculaire, le glaucome, qui peut entraîner la cécité si elle n'est pas traitée à temps.

Te souviens-tu du disque optique ? (Retourne voir la page 13.) Dans un œil sain et normal, le disque ressemble à une légère bosse. En cas de glaucome, on peut déceler une entaille dans le disque. Observe ces deux disques à l'aide d'un stéréoscope. Si tu étais médecin, prescrirais-tu un traitement pour le glaucome ou non ?

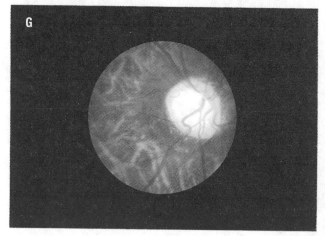

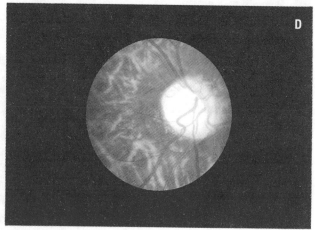

À TOI DE JOUER !

Tente cette expérience et constate à quel point deux yeux valent mieux qu'un seul pour la vision en trois dimensions. Tu auras besoin de l'aide d'un ami.

Il te **faut** :

un ami
un rouleau de papier hygiénique vide
des pièces de monnaie

Comment **faire** ?

1 Aplatis le rouleau de façon à laisser une ouverture de 1 cm.

2 Place le rouleau sur une table, entre ton ami et toi. Tiens-toi à environ 1 m du rouleau.

3 Ferme un œil et dirige ton ami (devant, derrière, à gauche, à droite) pour qu'il place la pièce de monnaie au-dessus du rouleau et l'y laisse tomber. Essaie quatre ou cinq fois. As-tu remarqué à quel point tu vises mal ?

4 Recommence, mais les deux yeux ouverts, cette fois. As-tu remarqué comme ta vision en profondeur et ta capacité de viser sont supérieures avec tes deux yeux ?

De quoi perdre la boule

Jusqu'à maintenant, les illustrations stéréo étaient très semblables. Ton cerveau n'éprouvait aucune difficulté à fondre les deux images en une seule. Mais qu'arrive-t-il lorsque les deux images sont totalement différentes ? Le cerveau combine-t-il les deux images en une seule ?

Les lignes de ces illustrations stéréo ne coïncident en aucun cas. Place les illustrations dans le stéréoscope et observe-les (cette fois, la gauche et la droite sont sans importance). Contrairement à ce que tu aurais pu penser, les images ne se combinent pas pour reproduire un damier. Elles semblent plutôt s'affronter, comme si le cerveau ne pouvait choisir entre elles. Parfois, l'image entière change. À d'autres moments, seules quelques parties sont interverties. Mais tu ne vois jamais de damier. Essaie avec une autre paire d'images : place un carton rouge d'un côté de ton stéréoscope et un carton vert de l'autre côté. Essaie aussi avec un carton bleu et un jaune.

Il est vrai que tes yeux fonctionnent à la manière d'un appareil photo. Mais voir, c'est beaucoup plus que prendre une simple photo. Tu es influencé par ce que tu connais déjà. Ton cerveau utilise constamment tes connaissances pour donner un sens à ce que tu vois.

Voir, c'est croire

Vois-tu, par exemple, la forme d'un dalmatien parmi toutes ces taches ? (*Indice: Il se trouve dans la partie droite de l'illustration ; il renifle le sol et se dirige vers le coin supérieur gauche.*)

Et que signifie ce symbole ?

IB

Il pourrait signifier plusieurs
choses. Ajoutons-y quelques
éléments supplémentaires.

A

I2   IB   I4

C

Ainsi, ce symbole peut avoir
deux significations.

Dans les illustrations ci-
dessous, penses-tu que
les enfants (avec les
immeubles en arrière-plan)
sont de taille normale ou
s'agit-il plutôt de géants
derrière une maison de
poupée ? L'endroit où se
tiennent les enfants par
rapport aux immeubles, ou la
manière dont ces dessins se
superposent, change ta façon
de percevoir leur taille.

Ces illustrations prouvent
que ce que tu vois repose sur
l'information environnante.
Nous appelons cette information le « contexte ».

Un minéralogiste suisse, L. A. Necker, prit conscience de cette illusion d'optique en observant des dessins de cristaux. Nous appelons ce cube le « cube de Necker », et l'expérience remonte à environ 150 ans. Fixe le cube pendant quelques secondes. As-tu vu le cube se retourner ? La face ombrée semble parfois être à l'arrière et parfois, à l'avant. Si tu ne l'as pas remarqué, fixe le cube un peu plus longtemps et tu percevras le changement.

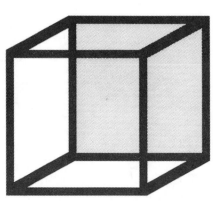

Tu peux donc voir une même chose de deux manières différentes. Dans la mesure où un choix est tout aussi possible qu'un autre, il n'existe pas de bonne ni de mauvaise réponse. Ton cerveau oscille entre deux choix tout aussi plausibles. Les scientifiques pensent que cette expérience indique comment fonctionne ton cerveau pendant qu'il essaie de donner un sens à ce que tu vois.

Qu'arrive-t-il lorsque nous ajoutons *une toute petite* information ? Voici le même cube et la même surface ombrée qui recouvre, cette fois, certaines lignes.

Il y a maintenant un seul choix possible. Ton cerveau n'a aucun mal à comprendre que la face ombrée se trouve à l'avant, puisqu'elle cache les lignes qui sont à l'arrière.

Nous savons maintenant que le contexte (l'information environnante) influence notre façon de voir. Qu'arriverait-il si le contexte n'existait pas ? Comment donnerais-tu un sens au monde dans lequel tu vis, sans la moindre information environnante ? Lorsque tu vois une voiture se déplacer, par exemple, comment sais-tu si elle se déplace réellement ? Tu le sais, parce que ton cerveau la compare aux choses qui t'entourent et qui sont immobiles. Donc, qu'arriverait-il si tu éliminais tout contexte ?

À TOI DE JOUER !

Tente cette expérience la nuit, dans une pièce entièrement noire. L'expérience ne serait pas aussi concluante dans une penderie, car tu sais approximativement à quelle distance se trouvent les murs. Souviens-toi : tu ne dois pas être influencé par le moindre contexte !

Il te faut :

plusieurs amis
une lampe de poche
une petite boîte et son couvercle
   (assez grande pour contenir la
   lampe de poche)
du ruban-cache
du papier de bricolage noir ou de
   la peinture noire (facultatif)

Comment faire ?

1 Perce un petit trou dans la boîte à l'aide d'un crayon pointu.

2 Allume la lampe de poche et dépose-la dans la boîte. Colle le couvercle sur la boîte en t'assurant que la lumière ne passe absolument pas. Au besoin, sers-toi de papier noir ou de peinture noire pour empêcher la lumière de filtrer.

3 Éteins toutes les lumières, masque les fenêtres et ferme la porte. La pièce doit être entièrement noire.

4 Regarde maintenant, pendant quelques minutes, la minuscule lumière qui provient du trou. Qu'arrive-t-il ? La lumière semble parfois bouger et, parfois, elle est immobile. Pourquoi ? Dans une pièce entièrement noire, il n'y a plus de contexte. Tu n'as plus aucun indice visuel, car tu ne peux pas voir ce qui t'entoure. C'est pourquoi elle semble bouger à certains moments, et pas à d'autres. Que voient tes amis ?

Les astronomes ont été les premiers à rapporter ce fait étrange. Après de longues périodes d'observation au télescope, ils voyaient souvent bouger des étoiles qu'ils savaient par ailleurs parfaitement immobiles.

À TOI DE JOUER!

Ton cerveau évalue la grosseur d'un objet d'après son éloignement. Tentons une simple expérience pour comprendre comment cela fonctionne.

Comment faire?

1 Fixe la croix blanche au centre du cercle noir pendant au moins une minute. Tu formes une « image consécutive » du cercle sur ta rétine. **Cette image consécutive est toujours de la même dimension sur ta rétine**.

2 Regarde ta main et vois combien l'image consécutive paraît grande. Si cette image commence à disparaître, cligne des yeux à quelques reprises pour la faire réapparaître.

3 Regarde maintenant le mur le plus éloigné de toi. Le cercle s'est-il agrandi? Pourquoi semble-t-il plus grand alors que la taille de l'image consécutive sur ta rétine n'a pas changé? Ton cerveau a simplement évalué la taille d'après la distance. La taille d'un objet dépend de la distance à laquelle tu penses qu'il se trouve. Cette loi explique de nombreuses illusions d'optique.

L'illustration de gauche est un dessin à plat, mais ton cerveau le voit en trois dimensions, exactement comme la photo, à droite.

Quel rectangle semble le plus long ? Le rectangle supérieur, bien sûr ! Pourtant, si tu les mesures, tu vois qu'ils ont tous deux exactement la même dimension sur cette page. (Cela signifie qu'ils ont également la même dimension sur ta rétine.) Malgré tout, le rectangle supérieur paraît plus long. Comme tu as pu le constater avec l'image consécutive, ton cerveau pense que le rectangle supérieur est plus éloigné que le rectangle inférieur ; il lui semble donc plus grand.

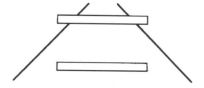

Fabrique une
fenêtre d'Ames

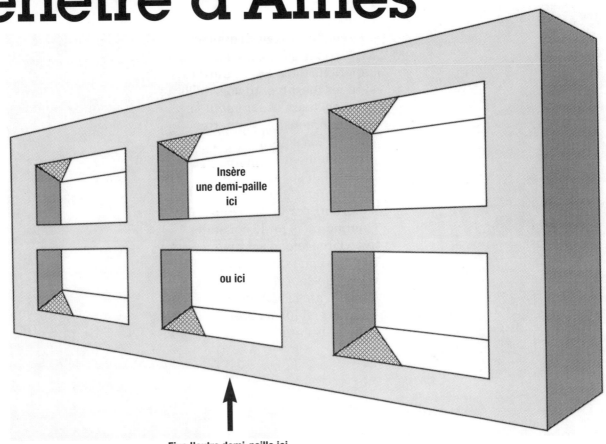

**Insère
une demi-paille
ici**

ou ici

**Fixe l'autre demi-paille ici,
en guise de support**

Dans les années 50, Adelbert Ames, un avocat devenu scientifique, était fasciné par les indices de profondeur. Voici une expérience qu'il a faite pour démontrer à quel point ces indices peuvent être puissants. L'étrange illusion créée paraît si réelle que tes amis pourraient penser qu'il s'agit d'un tour de magie !

Il te **faut :**

du papier de bricolage
de la pâte à modeler
un trombone
une paille (coupée en deux parties
    égales)
un couteau X-Acto
un tourne-disque
2 photocopies de ce diagramme

Comment **faire** ?

1 Découpe les photocopies et reproduis l'une des fenêtres sur le papier de bricolage. Découpe également cette fenêtre.

2 Colle les trois fenêtres ensemble en plaçant le papier de bricolage entre les deux photocopies. (Assure-toi que les côtés imprimés restent visibles.) Demande à un adulte de découper les fenêtres intérieures à l'aide d'un couteau X-Acto. Prends garde de ne pas plier la fenêtre en la découpant.

3 Fais deux entailles au bout de l'une des demi-pailles et insères-y la fenêtre le long de la ligne noire, comme l'indique l'illustration.

4 Fixe l'autre extrémité de la paille dans une boule de pâte à modeler. Place celle-ci exactement au centre de la platine du tourne-disque. Fais tourner le tourne-disque à basse vitesse et assure-toi que tout est stable.

5 Laisse tourner le tourne-disque et place-toi à une distance de 2 à 5 m. Garde les yeux au même niveau que la fenêtre et observe ce qui se passe. Tu sais que ta fenêtre tourne et fait des tours complets, mais elle semble plutôt osciller de l'avant vers l'arrière. Sais-tu pourquoi ?
*(**INDICE :** La perspective et l'ombre sont à l'origine de cette illusion. L'extrémité la plus grande de la fenêtre semble toujours la plus rapprochée de toi, qu'elle bouge ou qu'elle soit immobile.)*

6 Fixe maintenant l'autre demi-paille à la fenêtre à l'aide du trombone, comme l'indique l'illustration. Fais fonctionner le tourne-disque, recule et observe de nouveau. La paille ne semble-t-elle pas traverser la fenêtre ? Si tu n'as pas cette impression, accorde-toi un peu plus de temps ou observe-la en fermant un œil.

Le mouvement de la fenêtre (qui oscille de l'avant vers l'arrière) semble tout aussi réel que le mouvement de la paille accrochée à la fenêtre. Dans la mesure où ces deux mouvements sont aussi plausibles l'un que l'autre, tu perçois la paille comme si elle traversait la fenêtre. La fenêtre d'Ames est un excellent exemple pour prouver que ce que tu vois se passe dans ta tête.

À vue de nez...

Tous les nez pointent vers *l'extérieur*, bien sûr ! Selon toi, qu'arriverait-il si tu voyais un nez pointé vers *l'intérieur* ?

Il te **faut** :

un masque en plastique
de la peinture opaque de couleur claire (la peinture métallisée est idéale)
une lampe de bureau (ou toute autre lampe sans son abat-jour)
un crayon pointu
de la pâte à modeler
un tourne-disque

Comment **faire** ?

1 Recouvre ton masque de peinture opaque ou métallisée de sorte que la lumière ne puisse pas passer à travers.

2 Insère l'extrémité pointue du crayon à la base du masque et fixe-le fermement à l'aide de pâte à modeler.

3 Place une boule de pâte à modeler au centre de la platine de ton tourne-disque et fixes-y l'autre extrémité du crayon. Assure-toi qu'il est bien stable lorsque tu fais tourner la platine.

4 Dans une pièce noire, allume ta lampe et dirige le faisceau lumineux obliquement vers l'*intérieur* du masque.

5 Fais fonctionner le tourne-disque à basse vitesse et place-toi à une distance de 2 m. Observe le masque en fermant un œil. Le nez semble pointer vers l'extérieur de part et d'autre du masque en train de tourner ! Essaie de nouveau, les deux yeux ouverts. Si ton masque a des trous au niveau des yeux, places-y une paille comme tu l'as fait sur la fenêtre d'Ames. En tournant, la paille semble traverser le masque !

Comment cette illusion peut-elle se produire ? Réfléchis. Les vrais nez, tels que tu les vois depuis ta naissance, pointent vers l'extérieur. Pour ton cerveau, c'est la seule façon de concevoir un vrai visage dans le monde réel. Donc, en dépit de tous les autres indices, tu vois ce nez de la seule façon qui te semble logique.

Dans un film, rien ne bouge réellement !

Comment sais-tu qu'une chose bouge réellement ? Imagine ces deux scénarios.

SCÉNARIO 1 : Tu fixes un arbre lorsque, soudain, un chien passe en courant.

Cette question peut sembler étrange, mais comment sais-tu que c'est le chien, et non l'arbre, qui bouge ?

En fait, la réponse est relativement simple. L'image du chien glisse d'une cellule à l'autre sur ta rétine. Ton cerveau suppose que, si les cellules voisines sont excitées les unes après les autres, cette chose est donc en train de bouger. L'arbre que tu fixes n'excite pas les cellules voisines sur ta rétine. Ton cerveau suppose donc qu'il doit être immobile.

SCÉNARIO 2 : Même scénario qu'auparavant, mais cette fois tu ne fixes pas l'arbre.

Ton œil suit le chien en train de courir. Si ton œil reste posé sur le chien, son image ne glisse pas sur ta rétine ; mais tu vois malgré tout le chien bouger. Il existe forcément un autre moyen de percevoir le mouvement.

Cette fois, ton cerveau tire son information des mouvements de ton œil tandis que tes muscles oculaires font bouger tes yeux pour suivre le chien.

Le fait de voir le chien bouger n'a rien d'étonnant. Il est toutefois surprenant de percevoir un mouvement là où, en réalité, il n'y en a pas !

Si tu observes le film ci-contre à l'aide d'un projecteur, le frappeur semblera balancer son bâton lentement. Le film est en réalité un ruban composé d'une série de plans fixes. Chaque image consécutive montre un mouvement légèrement différent de celui qui précède.

Il n'existe pas le moindre mouvement réel sur l'un ou l'autre de ces plans fixes. Un projecteur illumine les plans fixes, l'un après l'autre, sur un écran. Ton cerveau combine chaque image avec la suivante et te donne l'*illusion* du mouvement. C'est pourquoi nous disons qu'au cinéma rien ne bouge réellement.

53

Savais-tu **que...**

L'idée des images en mouvement est née en 1872, à la suite d'un pari de 25 000 $. Le roi du chemin de fer californien, Leland Stanford, paria que les quatre sabots d'un cheval au trot ne touchaient pas le sol pendant une fraction de seconde. (Stanford devait être assez sûr de lui, car 25 000 $ représentaient en 1872 une véritable fortune !)

Stanford engagea un photographe, Eadweard Muybridge, afin de prouver qu'il avait raison.

Muybridge installa plusieurs appareils photo à égale distance les uns des autres le long de la piste pour photographier les chevaux pendant la course. À la fin de la course, il avait plusieurs plans fixes, pris à quelques

secondes d'intervalle. La preuve était dans ces images. À certains moments, effectivement, les quatre sabots du cheval quittaient le sol !

En 1888, Thomas Edison étudia certaines photos de Muybridge et découvrit comment obtenir une illusion de mouvement à partir de plans fixes. Il inventa une grande roue cinématographique à laquelle étaient fixés plusieurs plans fixes, pris à quelques secondes les uns des autres. En regardant à travers un petit trou pratiqué dans la roue, alors que celle-ci tournait, on avait l'impression que les objets photographiés bougeaient. Cette simple invention est à l'origine de la gigantesque industrie du cinéma.

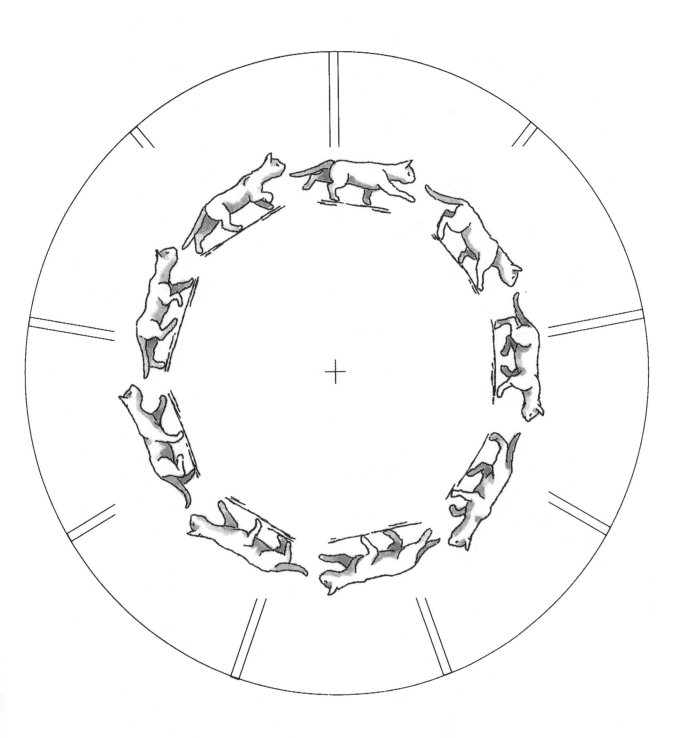

TA ROUE CINÉMATOGRAPHIQUE

Grâce à ce dispositif simple, tu pourras créer l'illusion du mouvement.

Il te **faut** :

de la colle
une photocopie de la roue
  cinématographique
du carton
un couteau X-Acto
un crayon
de la pâte à modeler

Comment **faire** ?

1 Colle la photocopie de la roue (page précédente) sur le carton et découpe celui-ci en suivant le bord extérieur de la roue.

2 Découpe des rectangles autour du bord extérieur (regarde l'illustration). Fais un trou au centre, assez gros pour y insérer le crayon, mais pas trop gros pour que la roue puisse tourner sans osciller.

3 Installe la roue sur le crayon, le côté imprimé face à l'extrémité pointue du crayon. Colle une boule de pâte à modeler au bout du crayon, la roue ne pourra alors s'échapper.

4 Tiens la roue côté imprimé face à un miroir. Fais-la tourner en regardant de l'arrière de la roue par les petits rectangles.

Encore des illusions !

Le cinéma ne constitue qu'un exemple d'illusions de mouvement. Il en existe de nombreuses autres. As-tu déjà observé la lune par une nuit nuageuse et venteuse ? Elle paraît voguer dans le ciel. Bien sûr, ce sont les *nuages* qui bougent. Ton cerveau croit que les gros objets se déplacent moins facilement que les petits. Comme la lune semble plus petite que les nuages, ton cerveau attribue le déplacement au mauvais objet.

Cette illusion de mouvement a permis de créer l'un des premiers effets spéciaux du cinéma. Un acteur, assis dans une voiture ou dans un train, semble avancer quand, en réalité, c'est le paysage en toile de fond qui recule. Ce simple trucage est encore utilisé de nos jours. Les vaisseaux spatiaux semblent filer dans l'espace mais, en fait, c'est le décor qui défile sur l'écran. Pour que l'effet soit réussi, tu n'as besoin de voir qu'une petite partie du décor, comme ce que tu verrais de la vitre d'une voiture.

Tu connais probablement l'illusion suivante. Te souviens-tu la dernière fois que tu étais en voiture et que celle-ci s'est arrêtée à un feu rouge à côté d'un gros camion ? Tu as sans doute eu l'impression de reculer quand le camion s'est mis à avancer. Cette illusion semble si réelle que le conducteur s'empresse souvent de freiner... même si son véhicule est parfaitement immobile.

Le « mouvement consécutif » est une autre façon de percevoir un mouvement qui n'existe pas réellement.

À TOI DE JOUER!

Vois la tête de ton ami changer de taille pendant un moment...

Il te **faut** :

un ami doté d'un bon sens de l'humour
un tourne-disque
une photocopie de la spirale ci-contre

Comment **faire** ?

1 Lis toutes les directives avant de commencer.

2 Découpe la spirale et perces-y un petit trou au centre.

3 Place la spirale sur la platine de ton tourne-disque et fais-la tourner à basse vitesse. Ton ami doit tenir son visage à environ 30 cm de la spirale.

4 Fixe le centre de la spirale pendant au moins une minute. (Demande à ton ami de te chronométrer ou compte jusqu'à 100.)

5 Une fois la minute écoulée, fixe *immédiatement* le nez de ton ami. La tête de ton ami paraîtra s'éloigner et rétrécir.

Qu'arriverait-il si la spirale tournait dans l'autre sens ? Après tout, ton ami a peut-être la tête enflée...

Mais pourquoi?

Le siège de la vision, dans ton cerveau, est doté de cellules spéciales qui détectent le mouvement. Ces cellules sont combinées par paires opposées. Par exemple, les cellules qui transmettent un signal de mouvement vers l'extérieur sont appariées à des cellules qui transmettent un signal de mouvement vers l'intérieur. En tournant sur la platine, la spirale semblait bouger vers l'extérieur. Après l'avoir fixée pendant une minute, tes cellules détectrices de mouvement vers l'extérieur se sont fatiguées : elles ne pouvaient plus envoyer de signal. Cependant, leurs cellules opposées n'étaient pas du tout fatiguées. Aussi, dès que tu as regardé quelque chose d'immobile — comme le visage de ton ami —, ces cellules détectrices de mouvement vers l'intérieur ont pris le relais et envoyé *leur* signal. C'est pourquoi le visage de ton ami t'a semblé rétrécir.

En fait, ce processus ne peut exister que dans ton cerveau, et non dans tes yeux, car ces cellules spéciales n'existent nulle part ailleurs que dans ton cerveau.

Nos propres mouvements peuvent aussi nous aider à voir en trois dimensions. As-tu déjà remarqué ce qui se produit lorsque tu te déplaces ? La prochaine fois que tu voyageras en voiture, en train ou en autobus, regarde par la vitre latérale et fixe un objet éloigné. Tout ce qui est situé devant cet objet se déplace dans la direction opposée à ce qui se trouve derrière l'objet.

Ton système visuel sait que, lorsque tu te déplaces, les choses qui semblent bouger dans la direction opposée doivent se trouver devant ce que tu

Savais-tu  que...

regardes. Les choses qui paraissent bouger dans la même direction que toi sont situées derrière l'objet que tu regardes. Les scientifiques appellent ce puissant indice de profondeur le « parallaxe de mouvement ».

La majeure partie des dessins animés est filmée sur une simple feuille en celluloïd plastifiée. En 1930, les studios Disney ont été parmi les premiers à utiliser le parallaxe de mouvement dans

leurs dessins animés pour produire l'impression de profondeur. Ils ont inventé une caméra spéciale munie de nombreuses feuilles en celluloïd, placées à des distances variées de la lentille. Chaque feuille était mobile et indépendante. En faisant la mise au point sur Blanche-Neige, dessinée sur une feuille centrale, et en déplaçant les choses situées devant elle vers la droite et les choses situées derrière elle vers la gauche, la scène semblait vraiment pourvue de profondeur, et tu avais toi-même l'impression de te déplacer vers la gauche. *Blanche-Neige* et *Pinocchio* ont été les premiers dessins animés tournés à l'aide du parallaxe de mouvement.

De nombreux jeux vidéo créent aussi l'illusion de profondeur grâce à cette technique. La prochaine fois que tu vois ce type de jeux, observe le parallaxe de mouvement.

À TOI DE JOUER !

Parfois, les choses ne peuvent être vues en trois dimensions que lorsqu'elles bougent. C'est leur mouvement même qui crée l'impression de profondeur. Nous les percevons tout à fait différemment lorsqu'elles sont immobiles. Tente cette expérience avec un ami et vois comment tu obtiens une impression de profondeur à partir du mouvement.

Il te **faut** :

une lampe puissante
un long cure-pipe ou un fil
   électrique épais et flexible
une grosse boule de pâte à modeler

Comment **faire** ?

1 Tortille le cure-pipe et enfonces-en une extrémité dans la boule de pâte à modeler, comme sur l'illustration. Place le tout sur une table à environ 1 m d'un mur de couleur claire.

2 Sers-toi de la lampe pour projeter l'ombre du cure-pipe sur le mur. Place-toi là où tu peux voir l'ombre, mais pas le cure-pipe (juste à côté de ce dernier, par exemple). L'ombre ne semble être rien de plus qu'une ligne plate et tordue.

3 Demande à ton ami de faire pivoter lentement la boule de pâte à modeler.

La forme plate et tordue t'apparaît soudain en trois dimensions ! Cette impression de profondeur n'est possible que grâce au mouvement.

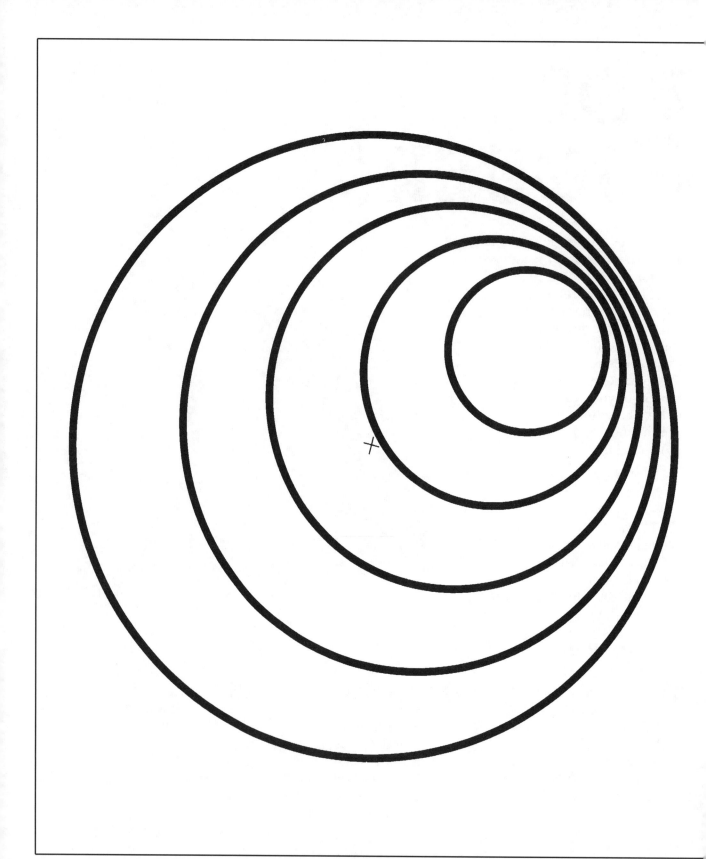

ENCORE
À TOI DE
JOUER !

Voici une autre expérience
où, grâce au mouvement,
un objet plat paraît être
tridimensionnel.

Fais une photocopie du diagramme
ci-contre ou calque-le.

Place-le sur la platine de ton
tourne-disque et fais-le tourner
à basse vitesse.

N'a-t-il pas tout à coup la
forme et la profondeur d'un
cône ? Cette illusion, comme
les autres, naît strictement
du mouvement.

Plus blanc que blanc

Chaque objet que tu vois émet de la lumière (comme le Soleil ou une ampoule électrique) ou réfléchit la lumière (comme la Lune ou cette page). Lorsque tu allumes la lumière dans ta chambre, les objets semblent plus lumineux. Cela n'est pas étonnant, mais les objets peuvent aussi paraître plus lumineux pour des raisons autres que le degré de luminosité. Si tu exposes deux objets au même degré de luminosité, l'un peut sembler plus sombre ou plus lumineux selon la quantité de lumière qui provient de l'espace environnant. Les fonds sombres font paraître les objets de couleur claire plus lumineux, et les fonds clairs font paraître les objets foncés encore plus sombres. Cela te semble déroutant ? Voyons ces trois exemples.

Que vois-tu ici ? Trois *Pac Man* en pleine conversation ou un triangle posé sur trois cercles noirs ? Le triangle ne te semble-t-il pas plus lumineux que le reste de la page ? Pourrait-il réellement être plus blanc que blanc ? (En fait, le triangle n'existe pas vraiment. Couvre les cercles noirs et vois toi-même.)

Si un triangle en carton était posé sur les trois cercles noirs, il semblerait plus près de toi. Les objets près de toi paraissent généralement plus lumineux que ceux qui sont éloignés.

Nous appelons ce diagramme une « grille de Hermann ». Il ressemble au plan d'une ville. Les carrés noirs sont des immeubles, les lignes blanches sont des rues, et les rues se croisent pour former des intersections. Vois-tu les taches fantômes aux intersections ? Il n'y a pourtant aucune tache sur cette page.

La quantité de lumière réfléchie par les rues et par les intersections est exactement la même, mais, à tes yeux, les rues et les inter-sections n'ont pas la même luminosité. Les intersections comportent une tache floue qui paraît plus sombre que les rues. Observe la grille de nouveau. Il y a plus de fond noir autour des rues qu'autour des intersections. *Souviens-toi : les fonds sombres font paraître les choses claires encore plus claires.* Donc, si les rues paraissent plus claires qu'elles ne le ont en réalité, les intersections sembleront en comparaison plus sombres qu'elles ne le sont réellement.

Si tu ne crois toujours pas que le fond est à l'origine de cette illusion, élimine-le et vois ce qui se produit. À l'aide de deux morceaux de papier blanc uni, recouvre tout à l'exception d'une rue. Ne laisse paraître aucune trace de noir.

Tu remarques que les taches ont disparu. La rue et les intersections ont la même luminosité. Es-tu convaincu, maintenant, que la luminosité dépend de l'environnement ?

Voici une grille de Hermann inversée. Vois-tu les taches claires aux intersections ?

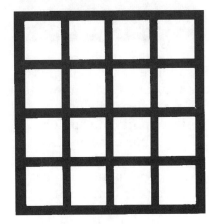

Dans le cas présent, les rues sont noires et les carrés sont blancs. Tu sais que l'environnement influe sur la luminosité des rues. Peux-tu expliquer pourquoi les intersections paraissent plus claires que les rues ? *(Indice : les fonds de couleur claire font paraître les objets foncés encore plus sombres.)*

À TOI DE JOUER !

Observe ces quatre carrés.

Les quatre carrés centraux ont tous la même luminosité. Constate-le toi-même.

La quantité de lumière réfléchie par chacun des carrés gris centraux est *exactement* la même, mais à nos yeux la luminosité de ces carrés est différente. Le carré sur fond blanc paraît plus sombre que le carré sur fond noir.

Il te **faut :**

une feuille de papier blanc
des ciseaux
(un poinçon, si tu en as un)

Comment **faire ?**

Fais quatre trous dans une feuille de papier de telle sorte que chaque trou soit centré sur chaque carré gris central. Tu vois ? Ces carrés gris sont tous identiques.

Tous ces exemples ont quelque chose à voir avec le contraste. Le contraste est la différence de luminosité entre deux zones. Tes yeux peuvent capter ces différences à cause de la manière dont sont reliés les bâtonnets et les cônes dans ta rétine. Il y a 128 millions de ces cellules, mais seulement un million de nerfs relient ton œil à ton cerveau.

Seulement un million de câbles dans le nerf optique transmettent les signaux au cerveau.

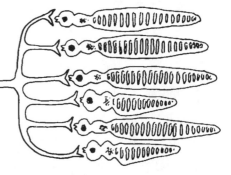

La rétine est composée d'environ 130 millions de bâtonnets et de cônes.

En d'autres termes, de nombreuses cellules combinent ce qu'elles voient et envoient un signal au cerveau par le biais d'un seul nerf. Si chaque cellule était directement reliée au cerveau, aucune de ces illusions n'existerait. Des lignes directes reproduiraient fidèlement l'image. Le comportement de chaque cellule semble dépendre de son entourage, car les cellules sont reliées. Ainsi, les cellules qui voient la partie claire sont influencées par leurs voisines qui voient la partie sombre.

C'est l'un des points où l'œil diffère de l'appareil photo. Le film à l'intérieur d'un appareil photo n'est sensible à aucune de ces illusions ; il reproduit ce que tu choisis de photographier. Comme tu as pu le constater, ton œil fait beaucoup plus qu'une simple copie.

La devinette

Imagine que tu prépares un message publicitaire télévisé pour vanter la puissance nettoyante de ton nouveau détersif qui rend le linge *plus blanc que blanc*. Devant quel arrière-plan accrocherais-tu tes chaussettes et celles qui ont été lavées avec un détersif X pour que tes chaussettes paraissent les plus blanches et les plus lumineuses ?

Savais-tu

Les étoiles n'apparaissent pas la nuit ! En fait, elles sont toujours là. Pendant la journée, le soleil illumine tellement le ciel que tu es incapable de percevoir le scintillement d'une lointaine étoile.

En d'autres termes, le contraste entre les étoiles et le ciel n'est pas suffisant. La nuit, les étoiles sont visibles parce qu'elles contrastent avec le ciel noir.

que...

L'environnement n'est pas la seule chose qui influe sur la luminosité. Qu'arrive-t-il lorsque tu entres dans une salle de cinéma toute noire par une belle journée ensoleillée ? Au début, tu as du mal à voir mais, après quelques minutes, tu distingues les sièges, les personnes et le maïs soufflé autour de toi. Quelque chose est en train de changer. Les lumières du cinéma ne sont pas plus fortes, mais les bâtonnets et les cônes de ta rétine s'habituent à la noirceur. Ce processus selon lequel nous nous habituons à une situation s'appelle « l'adaptation ». Au moment où tu es entré, ta rétine était adaptée à la luminosité extérieure ; elle avait besoin de beaucoup de lumière pour voir. C'est pourquoi tout paraissait très sombre à l'intérieur du cinéma. Avec le temps, ta rétine s'est adaptée (elle a eu besoin de moins de lumière), et peu à peu les choses à l'intérieur du cinéma t'ont paru plus claires.

À TOI DE JOUER !

Essaie cette expérience.
Tu auras besoin d'une lampe
puissante ou d'un endroit
très ensoleillé à l'extérieur.

Comment faire ?

1 Commence par te convaincre
que la luminosité du rectangle
ci-dessous est partout la
même.

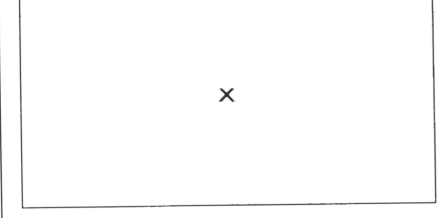

2 Couvre maintenant la moitié
du rectangle avec une carte
noire et fixe le X (et rien
d'autre) pendant au moins
une minute. (Le côté droit de
ta rétine s'adapte au noir,
tandis que son côté gauche
s'adapte à la lumière.)

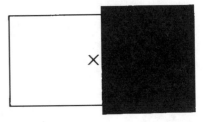

3 En fixant toujours le X, enlève
rapidement la carte noire.
Remarques-tu la différence de
luminosité entre les côtés
gauche et droit ? Les choses
sont plus lumineuses pour le
côté droit de la rétine, qui
était adapté au noir, tandis
qu'elles semblent plus
sombres pour le côté gauche,
qui était adapté à la lumière.
C'est pourquoi tu vois
momentanément moins bien
en entrant dans une salle de
cinéma plongée dans le noir.

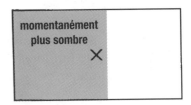

4 Pour t'amuser, laisse ta rétine
revenir à la normale. Observe
comme la luminosité rede-
vient égale des deux côtés.

Savais-tu  que...

Nous nous adaptons à toutes sortes de choses.

Les fermiers ne remarquent heureusement plus les odeurs qui émanent de la grange après y être restés un certain temps. Mais si une personne au parfum capiteux entre dans la grange, ils le sentent immédiatement.

Pourquoi ? Tous nos sens sont conçus pour percevoir les *changements*. Au bout d'un certain temps, le fermier ne remarque plus les odeurs de la grange, mais comme le parfum est une nouvelle odeur, il le perçoit tout de suite.

À LA VITESSE DE LA LUMIÈRE

As-tu déjà remarqué que, lorsque les lampadaires de la rue sont allumés, ceux qui sont situés aux intersections semblent s'allumer avant tous les autres ? De même, lorsque tu regardes la rue au moment où les lampadaires s'allument, ceux-ci paraissent s'allumer les uns après les autres en commençant par celui qui est le plus près de toi. Nous avons presque tous tendance à croire que cela se passe vraiment de cette manière.

*En réalité, ils s'allument tous **exactement** en même temps, et la lumière émise par toutes les lampes atteint ton œil **exactement** au même moment !* Ils semblent s'allumer à des moments différents à cause d'une loi très simple : plus la lumière est faible, plus il faut de temps au signal pour se rendre de la rétine au cerveau. Les signaux provenant des lampes les plus vives atteignent le cerveau les premiers. C'est pourquoi les lampadaires les plus proches de toi semblent être allumés les premiers. Ils sont plus vifs que ceux qui sont éloignés, et leur image atteint plus rapidement le cerveau. Les intersections sont plus lumineuses parce que plus de lampadaires sont concentrés à ces endroits. Encore une fois, plus la lumière est vive, plus le signal atteint rapidement le cerveau.

L'oiseau *Big Bird* est-il vraiment jaune à la télé ?

À la télé, de quelle couleur *est* Big Bird ? Voyons ça. Trouve une partie d'image blanche ou jaune sur ton écran de télévision et observe-la à l'aide d'une loupe. Y vois-tu des points blancs ou jaunes ? Tu ne vois probablement que des points rouges, verts et bleus. C'est très étrange, mais avant de découvrir ce qui se passe, nous devons comprendre la lumière et comment elle se comporte.

Le flot de lumière blanche émis par le Soleil est composé de minuscules photons qui voyagent en parfaite ligne droite. Chaque photon vibre en se déplaçant. Certains vibrent lentement (nous les voyons rouges), et d'autres vibrent rapidement (nous les voyons bleus). Les autres couleurs se situent quelque part entre les deux. Chaque photon suit un long chemin onduleux. La distance entre le sommet d'une onde et le sommet de la suivante est appelée la « longueur d'onde ». Les photons « bleus » sont très énergiques, et leurs longueurs d'onde sont petites. Les photons « rouges » sont moins vigoureux et ils ont de grandes longueurs d'onde. Il ne faut cependant pas perdre de vue que même les plus longues d'entre elles sont en réalité extrêmement infimes — elles sont environ dix mille fois plus petites que le plus petit grain de sable.

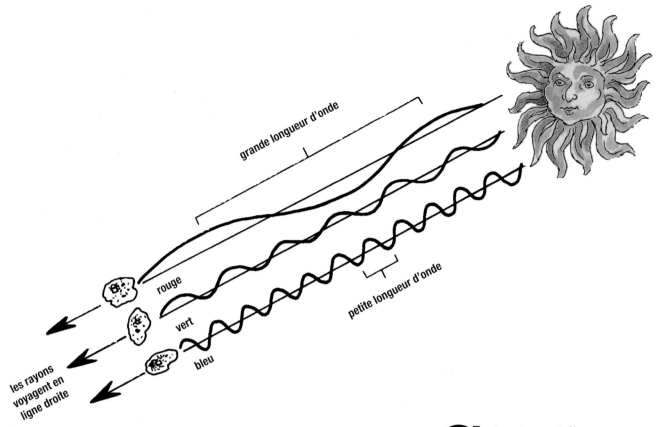

grande longueur d'onde

petite longueur d'onde

rouge

vert

bleu

les rayons voyagent en ligne droite

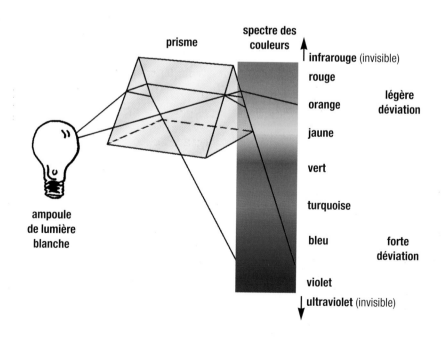

prisme

spectre des couleurs

infrarouge (invisible)

rouge

orange

jaune

vert

turquoise

bleu

violet

ultraviolet (invisible)

légère déviation

forte déviation

ampoule de lumière blanche

Grâce à ces différentes longueurs d'onde, il est possible de décomposer la lumière à l'aide d'un prisme (un morceau de verre à trois côtés). Lorsque la lumière passe à travers le prisme, les photons qui ont de grandes longueurs d'onde sont légèrement déviés, et ceux qui en ont de plus petites sont déviés plus fortement. Si tu observes le diagramme ci-contre, tu remarqueras que les photons « bleus » sont ceux qui sont le plus déviés.

Lorsque les photons traversent le prisme, ils se séparent et forment un éventail coloré appelé le « spectre des couleurs ».

Fabrique un prisme

Nous imaginons le plus souvent un prisme comme un morceau triangulaire de verre ou de cristal. En fait, nous pouvons appeler « prisme » toute chose transparente dont la forme permet de réfracter la lumière selon différentes longueurs d'onde (ou couleurs). L'eau peut aussi agir à la manière d'un prisme. C'est pourquoi tu distingues un arc-en-ciel après la pluie, dans la brume d'une cascade ou dans le jet de ton tuyau d'arrosage.

Essaie cette expérience au soleil. Les résultats seront meilleurs le matin ou en fin d'après-midi (les rayons solaires sont plus inclinés).

Il te faut :

un plat de cuisson carré ou rectangulaire à fond plat
un miroir carré ou rectangulaire
de l'eau
un petit morceau de pâte à modeler

Comment faire ?

1 Remplis le plat de cuisson avec de l'eau.

2 Dépose-le sur le plancher, au soleil. Au besoin, éteins la lumière.

3 Pose le miroir dans l'eau obliquement, contre le côté du plat, pour qu'il capte les rayons solaires. S'il glisse, appuie-le contre un morceau de pâte à modeler.

4 Déplace le miroir jusqu'à ce qu'un arc-en-ciel apparaisse sur le mur ou sur le plafond.

Observe bien ton spectre. Tu remarques qu'il ne comporte pas de pourpre. Cela signifie qu'il n'existe pas de photons pourpres. Nous percevons pourtant cette couleur : notre cerveau la crée en combinant des photons rouges et des photons bleus.

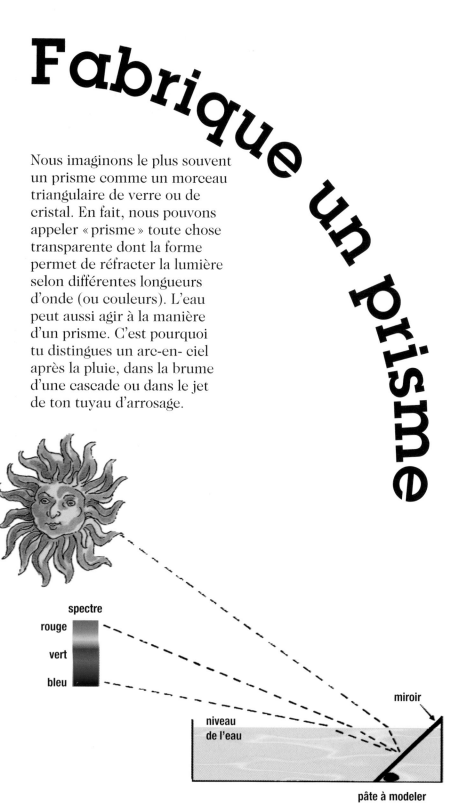

spectre
rouge
vert
bleu

miroir
niveau de l'eau
pâte à modeler

74

que...

La découverte du spectre des couleurs n'est pas récente. On a observé le spectre depuis des milliers d'années, grâce à des choses aussi naturelles que les cristaux et les arcs-en-ciel. Mais Isaac Newton a failli se faire excommunier pour avoir osé suggérer que la lumière blanche était composée des différentes couleurs de l'arc-en-ciel. Au XVIIe siècle, la lumière blanche était considérée comme la chose la plus pure qui puisse exister sur Terre. Les gens croyaient alors que la lumière colorée était une lumière blanche qui avait été souillée.

À TOI DE JOUER !

Crée la lumière blanche.

Il te **faut** :

3 lampes de poche
3 filtres épais : 1 rouge, 1 vert et 1 bleu (papier de soie, pellicule plastifiée colorée ou filtres pour appareil photo)
un mur blanc ou une grande feuille de papier blanc

Comment **faire** ?

1 Recouvre chaque lampe de poche d'un filtre de couleur différente.

2 Assure-toi que la pièce est plongée dans le noir.

3 Place les lampes de poche le plus près possible du mur ou du papier et diriges-y les trois faisceaux lumineux de couleurs différentes en les faisant se chevaucher.

Les couleurs primaires

La lumière blanche est composée de toutes les couleurs du spectre, mais, comme tu as pu le constater d'après les points sur ton écran de télévision, il est possible de faire de la lumière blanche en ne mélangeant que trois couleurs. L'écran de télévision utilise des points rouges, verts et bleus. De nombreuses personnes les appellent les couleurs « primaires » de la lumière.

Lorsque tu crées des lumières de différentes couleurs à l'aide de lampes de poche, ou lorsque tu regardes la télévision, tes cônes détectent la quantité de chaque couleur primaire présente, puis ils envoient leurs signaux à ton cerveau. Ton cerveau décide alors quelle couleur donne ce mélange.

Tu as certainement appris que les trois couleurs *primaires* sont le rouge, le bleu et le *jaune*. Le rouge, le bleu et le jaune sont les trois couleurs primaires de la *peinture*. Si tu mélanges de la peinture rouge avec de la bleue et de la jaune, tu obtiendras un brun foncé et terne. Essaie et tu verras. Par contre, lorsque tu combines les couleurs primaires de la lumière, tu obtiens du blanc. Les lois qui régissent la combinaison de lumières colorées sont totalement différentes de

celles qui régissent le mélange des couleurs de peinture.

Lorsque nous combinons une lumière rouge avec une verte, nous voyons du jaune. Tente l'expérience à l'aide de deux lampes de poche et de deux filtres, un rouge et un vert. Essaie maintenant de mélanger de la peinture rouge et de la peinture verte. Tu n'obtiens certainement pas de jaune. En fait, il n'existe aucun moyen d'obtenir du jaune en mélangeant deux couleurs de peinture.

Mais revenons à Big Bird et

essayons de comprendre ce qui se produit. Notre rétine est dotée de trois types de cônes qui contiennent des éléments chimiques spéciaux. Ces éléments chimiques sont excités par les différentes longueurs d'onde des rayons lumineux. Certains sont plus excités par la lumière rouge, d'autres, par la lumière verte, et d'autres encore, par la lumière bleue. Tu remarqueras qu'il n'y a aucun cône pour le jaune. Donc, pourquoi Big Bird paraît-il jaune quand nous n'avons pas de cônes pour le jaune ?

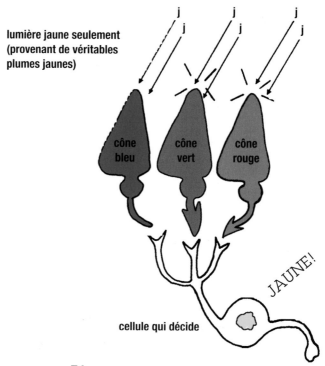

lumière jaune seulement (provenant de véritables plumes jaunes)

cône bleu
cône vert
cône rouge

JAUNE!

cellule qui décide

Comme tu as pu le voir sur ton écran de télévision, il est principalement composé de points rouges et de points verts.

Si tes cônes rouges et verts sont excités de façon égale par ces points, ton cerveau reçoit leurs signaux et considère ce mélange comme étant du jaune. C'est ainsi que, sans le moindre cône jaune, nous voyons le jaune.

Il existe bien sûr un autre moyen de voir le jaune. Après tout, la télévision n'existe que

depuis une quarantaine d'années, et les êtres humains voient les couleurs depuis des milliers d'années. Big Bird semble jaune parce que sa surface absorbe toutes les longueurs d'onde lumineuses, à l'exception des ondes jaunes, et qu'elle réfléchit le jaune à nos yeux.

Observe le spectre de nouveau. Le jaune est situé entre le rouge et le vert. Les cônes rouges perçoivent parfaitement la lumière rouge, mais ils voient aussi la lumière jaune. Les cônes verts voient également la lumière jaune. La lumière jaune qui entre dans tes yeux excite tes cônes rouges et verts de la même manière que les points rouges et verts de ton écran de télévision ; tu vois donc du jaune.

Bulletin

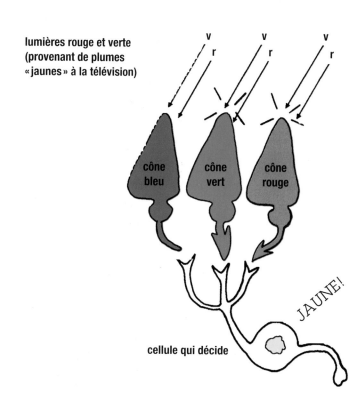

lumières rouge et verte (provenant de plumes «jaunes» à la télévision)

v r   v r   v r

cône bleu   cône vert   cône rouge

JAUNE!

cellule qui décide

Nous sommes dotés, pour la plupart, de trois types de cônes. Les scientifiques Young et Helmholtz ont fait cette découverte dans les années 1800. Mais, en 1991, des scientifiques ont découvert que certaines personnes ont probablement quatre types de cônes plutôt que trois. Une histoire à suivre !

À la recherche de tes cônes rouges

Huit hommes sur cent et quatre femmes sur mille, environ, naissent avec une difficulté à percevoir les couleurs. Nous parlons alors de « daltonisme ». En fait, très peu d'entre eux ne voient aucune couleur. Ils ont des problèmes avec un, deux ou, parfois, trois types de cônes. Les femmes sont moins souvent atteintes de ce problème.

Nous sommes entourés de gens qui éprouvent des difficultés à voir les couleurs, et pourtant, ces personnes sont difficiles à trouver car, si elles ne voient pas comme toi, elles utilisent les mêmes termes pour désigner les couleurs. Imagine, par exemple, que ton ami se coupe et qu'il ne perçoit pas le rouge. Il dira tout de même que le sang est rouge, non pas parce qu'il *voit* le rouge, mais parce que nous le prétendons tous. Ton ami déclare que les tomates sont rouges pour la même raison ; mais il peut tout aussi bien dire qu'une *tomate verte* est rouge !

Fais ce test sur la vision des couleurs, conçu pour détecter les problèmes avec les cônes rouges. Si tu n'as pas de cônes rouges, tu seras incapable de voir le chiffre 2 caché parmi les points car, pour tes deux autres types de cônes, tous les points sembleront de la même couleur et de la même intensité lumineuse. Fais passer ce test au plus grand nombre possible de garçons. Il y a de fortes chances que l'un d'entre eux ne distingue pas le chiffre. N'oublie pas de demander : « Quel chiffre vois-tu ? » et non : « Vois-tu le chiffre 2 ? ».

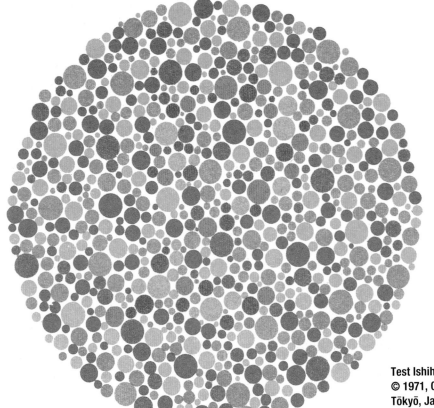

Test Ishihara pour le daltonisme
© 1971, Compagnie Kanehara Shuppan limitée
Tōkyō, Japon

Savais-tu

que...

L'idée de composer une image à l'aide de minuscules points n'est pas nouvelle. Observe bien cette peinture de Georges Seurat, *Un dimanche à la Grande Jatte*, achevée en 1886. Nous appelons ce style de peinture le « pointillisme », car chaque petit coup de pinceau correspond en réalité à un minuscule point de couleur.

Georges Seurat, *Un dimanche à la Grande Jatte* - 1884-1886, collection commémorative de Helen Birch Bartlett, 1926, 224 tirages © 1991, Institut des arts de Chicago. Tous droits réservés.

La couleur de ton vêtement peut varier selon la couleur de son environnement et selon la dernière couleur que tu as vue.

Savais-tu que...

Ces deux tee-shirts verts sont parfaitement identiques. Mais celui qui est entouré de jaune semble être d'un vert différent de celui qui est entouré de bleu. La couleur que tu vois dépend en quelque sorte de ce qui l'entoure.

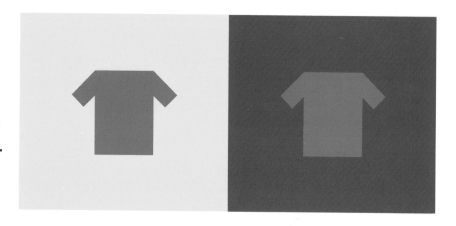

Fixe le point noir au centre du tee-shirt rouge et compte lentement jusqu'à 20. Maintenant, regarde vite le point sur le tee-shirt blanc. Ce tee-shirt te semble verdâtre. Fixe le tee-shirt vert pendant 20 secondes, puis regarde le tee-shirt blanc. Le voilà maintenant rougeâtre ou rose. Eh oui ! La couleur dépend aussi de la dernière couleur que tu as vue.

Nous appelons ce diagramme noir et blanc la « toupie de Benham ». Commence par te convaincre qu'elle ne contient pas la moindre couleur, mais uniquement des lignes noires et du blanc.

À TOI DE JOUER !

Il te **faut** :

une copie exacte de la toupie de Benham
un morceau de carton ou de papier épais
un bâtonnet au bout pointu

Comment **faire** ?

1 Pour obtenir une copie exacte de la toupie de Benham, tu peux soit en faire une photocopie, soit la calquer sur une feuille de papier blanc et la remplir, comme sur l'illustration.

2 Colle ta copie sur le carton, puis découpe ce dernier.

3 Insère le bâtonnet exactement au centre du disque, puis fais-le tourner comme une toupie. Tu obtiendras de meilleurs résultats en le faisant tourner en plein soleil. Qu'arrive-t-il aux lignes noires ? Semblent-elles soudain être colorées ? Fais tourner la toupie à des vitesses variées pour trouver les couleurs les plus vives.

4 Fais-la maintenant tourner dans le sens opposé et vois les lignes changer de couleur !

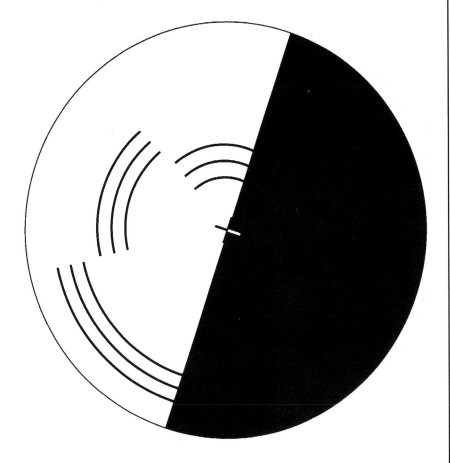

À TOI DE JOUER !

Certaines couleurs peuvent être vues de loin mieux que d'autres. Constate-le en faisant cette expérience.

Il te **faut** :

des feuilles de papier de couleur : rouge, jaune, vert et bleu (choisis des couleurs d'une intensité lumineuse comparable)
un poinçon ou des ciseaux
de la colle

COULEURS ET SAUVETAGE

Comment **faire** ?

1 Découpe des petits ronds de papier coloré à l'aide d'un poinçon. (Si tu n'en as pas, découpe le papier en plusieurs petits carrés de 1 cm de côté. Il est très important qu'ils soient tous de la même dimension.)

2 Après avoir mélangé les couleurs, colle proprement ces ronds (ou ces carrés) sur une feuille de papier blanc. Ils ne doivent pas se toucher, et la distance qui les sépare doit être égale.

3 Colle la feuille de papier sur un mur extérieur, à la hauteur de tes yeux.

4 Recule lentement et arrête-toi aussitôt qu'une couleur disparaît. Le bleu ou le jaune disparaîtront certainement les premiers. Continue de reculer jusqu'à ce que les points rouges et verts perdent leur couleur. Tu viens de constater que le vert et le rouge peuvent être visibles de plus loin.

Mais quel est le rapport avec le fait de sauver une vie ? Si tu es perdu en plein océan dans un minuscule canot de sauvetage, un avion volant très haut dans le ciel pourra peut-être te repérer. Quelle couleur choisirais-tu pour ton canot de sauvetage ? Certainement pas du bleu ni du jaune. Le vert serait trop difficile à repérer sur l'océan bleu-vert. Un canot de sauvetage rouge ne serait-il pas plus favorable ? Alors, pourquoi les canots de sauvetage sont-ils presque tous jaunes ? Désolés, nous devons cette fois donner notre langue au chat !

Glossaire

adaptation (page 69). Le fait de s'habituer à quelque chose.

bâtonnets (page 22). Au nombre de 120 millions, ces cellules nerveuses de la rétine transforment la lumière en impulsion électrique. Ils se situent surtout dans la périphérie et ne nous permettent de voir qu'en noir et blanc.

choroïde (page 13). Membrane située entre la rétine et la sclérotique qui reçoit la lumière non absorbée.

cônes (page 22). Les huit millions de cellules nerveuses de la rétine qui transforment la lumière en impulsion électrique. Ils se situent principalement dans la fovéa et ce sont eux qui nous permettent de « voir » les couleurs.

contexte (page 43). Information qui entoure un objet et nous permet de mieux le comprendre et le définir.

contraste (page 67). Différence de luminosité entre un objet et ce qui l'entoure.

cornée (page 13). Partie externe, bombée et transparente devant l'iris. Elle agit à la manière d'une lentille.

corps vitré (page 13). Substance gélatineuse transparente dont est rempli le globe oculaire à l'arrière du cristallin.

cristallin (page 13). Lentille située immédiatement derrière l'iris. Sa forme change afin de focaliser les rayons lumineux sur la rétine.

cube de Necker (page 44). Cube transparent dessiné en perspective qui peut être perçu de deux manières différentes.

disque optique (page 13). Endroit de la rétine où commence le nerf optique. C'est là que se situe la tache aveugle.

distance focale (page 15). Distance entre une lentille et l'image nette d'un objet éloigné d'au moins 6 mètres.

fenêtre d'Ames (page 48). Reproduction en deux dimensions d'une fenêtre qui semble osciller de gauche à droite quand, en réalité, on lui fait faire des tours complets sur elle-même.

fovéa (page 23). Point central de la rétine que nous utilisons lorsque nous fixons quelque chose. C'est l'endroit où la vision est la plus précise. Cette partie de la rétine nous permet de voir les couleurs et est le siège de la vision diurne.

glaucome (page 39). Maladie oculaire qui peut entraîner la cécité si elle n'est pas soignée. La rétine est endommagée à la suite d'une pression trop importante sur l'intérieur de l'œil.

grille de Hermann (page 65). Diagramme semblable à une grille où des taches fantômes sont visibles à l'intersection des lignes.

humeur aqueuse (page 13). Substance liquide, située entre le cristallin et la cornée, qui nourrit cette dernière.

image consécutive (page 46). Image que l'on voit pendant un court moment après avoir regardé quelque chose de lumineux ou après avoir longtemps fixé un objet.

iris (page 12). Anneau composé de muscles qui ouvrent et ferment la pupille. C'est la partie colorée de l'œil.

mouvement consécutif
(page 57). Illusion du mouve ment dans une certaine direction d'un objet immobile à cause du déplacement d'un autre objet dans la direction opposée.

muscles oculaires (page 13). Trois paires de muscles pour chaque œil. Ils permettent à nos yeux de bouger.

nerf (page 13). Cellule spéciale chargée de véhiculer les messages électriques à travers l'organisme.

nerf optique (page 13). Épais faisceau composé d'un million de nerfs qui relie la rétine au cerveau.

parallaxe de mouvement (page 60). Indice visuel de profondeur qui provient de notre propre déplacement dans l'espace.

périphérie (page 23). Partie de la rétine qui entoure la fovéa. Siège de la vision nocturne. Cette zone donne une vision terne, mais elle perçoit très bien le mouvement. La zone périphérique la plus éloignée du centre de la rétine ne nous permet pas de percevoir les couleurs.

perspective (page 49). Indice de profondeur où des lignes parallèles semblent se rejoindre à une certaine distance.

photons (page 72). Petits corpuscules d'énergie qui constituent la lumière.

pupille (page 12). Ouverture au centre de ton iris qui laisse entrer la lumière.

rétine (page 13). Fine couche de cellules nerveuses — les cônes et les bâtonnets — qui tapisse le fond de l'œil.

sclérotique (page 13). Membrane externe, blanche et résistante, de ton œil.

signal (page 51). Message ou indice.

stéréoscope (page 34). Instrument ou dispositif qui envoie une image différente à l'œil droit et à l'œil gauche.

tache aveugle (page 23). Point de la papille optique dépourvu de bâtonnets et de cônes. Cette zone est totalement aveugle.

toupie de Benham (page 81). Disque incolore qui nous apparaît coloré lorsqu'il tourne rapidement.

vision stéréoscopique (page 34). Perception de la profondeur grâce à la combinaison des images légèrement différentes qui proviennent de chaque œil.

ACHEVÉ D'IMPRIMER
EN FÉVRIER 1996
SUR LES PRESSES DE
PAYETTE & SIMMS INC.
À SAINT-LAMBERT (Québec)